D1450051

Guide pratique du Tricot

Guide pratique du
Tricot

Debbie Bliss

Sélection
du Reader's Digest

PARIS • BRUXELLES • MONTRÉAL • ZURICH

Cet ouvrage est l'adaptation française de *How to Knit*,
publié par Collins & Brown Limited

L'ouvrage a été réalisé sous la direction de l'équipe éditoriale
de Sélection du Reader's Digest
Direction éditoriale : Gérard Chenuet
Responsable de l'ouvrage : Christine de Colombel
Fabrication : Frédéric Pecqueux

Adaptation française
Agence Media
Traductrice : Imke Miolet
Consultante : Josette Vinas y Roca
Lecture-correction : Véronique Held
Montage PAO : Catherine Lafagne

ISBN : 2-7098-1118-9

PREMIÈRE ÉDITION
Achevé d'imprimer : décembre 1999
Dépôt légal en France : janvier 2000
Dépôt légal en Belgique : D-2000-0621-19

Imprimé et fabriqué en Chine
Printed and manufactured in China

Sommaire

Introduction

JE RÊVAIS DEPUIS LONGTEMPS D'OUVRIR UNE BOUTIQUE DE TRICOT. C'est aujourd'hui chose faite, à ma plus grande joie. Je partage ainsi quotidiennement ma passion avec des tricoteuses expérimentées aussi bien qu'avec des néophytes ; j'ai d'ailleurs été agréablement surprise par le nombre de jeunes femmes désireuses de s'initier au tricot. Si j'ai souhaité, à travers ce livre, atteindre un public plus large, c'est que j'ai constaté que des blocages techniques généralement faciles à résoudre empêchaient bien souvent de s'améliorer ou de diversifier ses créations. Les débutantes ont besoin d'être mises en confiance pour démarrer un tricot. Celles qui pratiquent déjà peuvent hésiter à se lancer dans des motifs en couleurs, des jacquards, des points ajourés ou des points dentelle. Enfin, certaines ne maîtrisent pas suffisamment les techniques de finition qui permettent de donner une allure professionnelle à un vêtement fait main. Pour répondre à ces diverses demandes et pour démystifier les supposés obstacles techniques, j'ai organisé des ateliers de tricot dans ma boutique, ateliers que j'ai tenté de recréer dans ce livre.

Si vous vous sentez incapable de monter une maille, l'*atelier de la débutante* et l'*atelier des points simples* vous aideront à vous mettre en route. L'*atelier des points irlandais*, l'*atelier des couleurs*, l'*atelier des points dentelle*, l'*atelier des entrelacs* et l'*atelier des détails décoratifs* vous initieront à différents styles de tricot, puis l'*atelier des finitions* vous aidera à parfaire votre ouvrage, tandis que l'*atelier de création* vous apprendra à concevoir vos propres modèles.

Chaque atelier présente une sélection de mes ouvrages favoris ; conçus pour appliquer les différentes techniques présentées, ils ont fait leurs preuves auprès de tricoteuses de tout niveau. L'esprit de mes petits ateliers est fidèlement restitué grâce à des explications simples illustrées de schémas très clairs. Ne manque que l'ambiance qui règne dans ma boutique : la compagnie d'autres passionnées, les bavardages et les petits gâteaux à l'heure du thé…

Debbie Bliss

CHAPITRE UN

L'atelier de la débutante

Aussi loin que je remonte dans mon enfance, je ne me souviens pas que ma mère m'ait appris à tricoter. En revanche, je me rappelle très bien que, chaque automne, elle sortait d'un sac un cardigan bleu roi dont elle tricotait quelques rangs de plus, puis qu'elle rangeait le printemps venu. Il fut trop petit pour moi bien avant d'être fini.

J'ai redécouvert le tricot durant mes études d'art, en suivant un cours sur la mode et le textile. Là, je me suis surtout intéressée à la réalisation d'objets tricotés en trois dimensions – des plantes (cactées, jonquilles…) surtout – puis, petit à petit, je me suis mise à la confection de vêtements. Au début, j'avais du mal à comprendre les modèles (en particulier les calculs de mailles) et des difficultés à jongler avec la couleur ou la texture. Cependant, j'ai rapidement pris de l'assurance – tout comme vous le ferez – et j'ai progressé régulièrement.

Ce premier atelier vous explique les bases du tricot, notamment à travers deux modèles qui vous permettront d'acquérir plus d'habileté et de confiance en vous.

Les fils

Voici une sélection personnelle des fils avec lesquels j'aime bien travailler. Ils sont tous choisis dans la gamme Rowan (voir adresses des boutiques page 159). Je préfère utiliser des fils lisses, naturels, faisant bien ressortir les détails d'un point, mais d'autres fils peuvent aussi convenir.

À gauche *Laine : c'est une matière solide et très isolante. La qualité à 2 fils présentée ici est la plus courante.*

À gauche *Coton Denim : c'est un de mes fils préférés. Sa couleur passe au fil des lavages comme celle des jeans.*

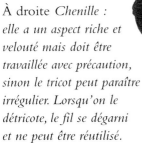

À droite *Chenille : elle a un aspect riche et velouté mais doit être travaillée avec précaution, sinon le tricot peut paraître irrégulier. Lorsqu'on le détricote, le fil se dégarni et ne peut être réutilisé.*

À droite *Laine de pays : sa couleur traditionnelle, l'écru, convient à merveille pour les motifs irlandais classiques. Elle existe désormais dans d'autres teintes.*

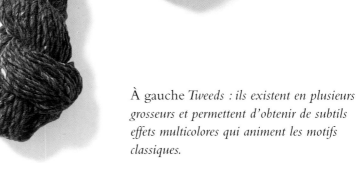

À gauche *Tweeds : ils existent en plusieurs grosseurs et permettent d'obtenir de subtils effets multicolores qui animent les motifs classiques.*

À gauche *Coton* : parfait pour faire ressortir les détails d'un point, il est en général hypoallergénique. On l'emploie souvent pour la layette et les vêtements d'enfants.

À droite *Laines douces* : mohair et angora donnent de très beaux lainages mais leurs longs poils ne conviennent pas aux bébés.

Ci-dessous *Grosse laine* : plus grosse que la laine des pulls irlandais, elle présente l'avantage de monter vite.

Le matériel

Voici le matériel de base pour débuter, plus quelques petits extras facilitant la vie des tricoteuses.

Ci-dessous *Ciseaux* : choisissez des petits ciseaux bien coupants. Ne faites pas l'erreur de tirer sur le fil pour le casser, car il s'allongerait et pourrait déformer votre tricot.

Ci-dessus *Mètre ruban* : il sert à vérifier les mesures de votre vêtement.

Ci-dessus *Épingles* : elles servent à mesurer l'échantillon (voir p. 13) et à épingler un tricot. *Compte-rangs (à droite)* : il est utile pour compter les rangs tricotés, surtout lors des augmentations et des diminutions.

À gauche *Aiguilles à tricoter* : en plastique, en aluminium ou en bambou, elles se vendent par paires de différentes longueurs, par jeux de 5 aiguilles à 2 pointes, ou se présentent sous forme d'une seule aiguille circulaire. Les mailles glissent bien sur les aiguilles en bambou qui sont légères et lisses.

Ci-dessous *Règle* : elle permet de mesurer l'échantillon.

À droite *Aiguille à laine* : le chas doit en être gros et la pointe arrondie pour ne pas dédoubler les mailles quand on coud un tricot. L'arrête-mailles sert à immobiliser des mailles en attente. Pour un petit nombre de mailles, une épingle de nourrice peut suffire.

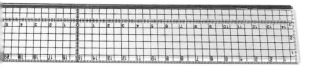

Travailler d'après un modèle

Avant de commencer un modèle, lisez les explications jusqu'au bout pour avoir une idée de sa structure et des techniques utilisées. Chaque modèle comprend les éléments décrits ci-dessous.

Mesures / tailles

Les explications peuvent être données pour différentes tailles : la plus petite est présentée en premier, les autres suivent entre parenthèses. Pour chaque taille, le modèle indique le tour de poitrine, la hauteur totale et la longueur des manches. Si vous modifiez la longueur du vêtement, n'oubliez pas que la quantité de laine nécessaire peut changer.

Fournitures

La liste des fournitures précise la quantité moyenne de fil nécessaire, le numéro des aiguilles, et, éventuellement, les boutons ou les fermetures à glissière.

Abréviations

Les explications sont généralement données avec des abréviations pour gagner de la place. Dans ce livre, les abréviations les plus courantes figurent à la page 158, tandis que les abréviations particulières, concernant un modèle précis, se trouvent à la page de présentation du modèle.

Explications pour les vêtements

Avant de commencer à tricoter, lisez les explications pour comprendre l'ordre dans lequel travailler les différentes parties. Sachez que certains éléments ne se comprennent bien qu'en les tricotant : ne pensez pas qu'un modèle est trop compliqué pour vous si vous ne saisissez pas immédiatement les instructions.

Pour les modèles en plusieurs tailles, les explications sont données de la manière suivante : « Monter 26 (28 ; 30 ; 32) m. », chaque nombre correspondant à une taille. Pour éviter des erreurs, commencez par surligner tous les chiffres qui vous intéressent pour bien les repérer.

Des astérisques et parenthèses signifient qu'une suite de mailles est reprise. Par exemple : « *3 m. end., 1 m. env. ; rep. à *, tout le rang » signifie « Tricotez 3 mailles à l'endroit, puis 1 maille à l'envers et reprenez cette suite jusqu'à la fin du rang ». On pourrait également écrire « (3 m. end., 1 m. env.) jusqu'à la fin du rang ». Des astérisques et parenthèses peuvent figurer ensemble pour un même rang. Par exemple : « *4 m. end., 1 m. env., (1 m. end., 1 m. env.) 3 fois ; rep. depuis * jusqu'à la fin du rang ». La partie des explications entre parenthèses signifie qu'il faut reprendre ces points 3 fois avant de retourner aux explications immédiatement après l'astérisque. Lorsque vous répétez quelque chose, assurez-vous que vous le faites le bon nombre de fois. Par exemple : « *1 m. end., 1 m. env.* 2 fois » signifie qu'il faut tricoter 4 mailles, mais « * 1 m. end., 1 m. env. ; rep. à * encore 2 fois » veut dire qu'il faut tricoter 6 mailles.

La phrase « continuez tout droit » veut dire « continuez sans augmentations ni diminutions tout en respectant le point ». Lorsque vous posez le tricot, marquez toujours l'endroit où vous en êtes sur le modèle. Prenez des précautions lorsque vous tricotez un point complexe.

Si l'explication indique le chiffre 0, par exemple : « 1 m. end. (0 ; 1 ; 2) », cela signifie que pour cette taille-là, il ne faut tricoter aucune maille à cet endroit-là. Faites bien attention lorsque, pour une explication, les tailles ont été séparées. S'il est dit : « 1re et 4e tailles seulement, rabattre 15 (20) m., finir le rang », suivez les explications figurant devant la parenthèse pour la 1re taille et celles entre parenthèses pour la 4e. Les autres tailles ne sont pas concernées.

Certains motifs, ceux de style irlandais en particulier, sont composés d'une combinaison de panneaux de différents points dont les explications figurent au début sous forme de tableaux individuels. Dans ce cas, le dessin total ne peut être exposé en entier, généralement parce que la reprise des rangs n'est pas la même pour tous les motifs. Je trouve plus aisé de suivre les motifs ainsi isolés et de me reporter à un tableau spécifique lorsque je me trompe.

Dans chaque partie, sont indiqués le rang par lequel on doit commencer et l'ordre dans lequel les panneaux doivent être travaillés. Quand vous arrivez au dernier rang de la reprise de chaque panneau, recommencez au 1er rang, tout en gardant à l'esprit que vous allez travailler différents panneaux en même temps.

Avec certains motifs, les points ajourés notamment, il est difficile de respecter le dessin lorsqu'on donne une forme à un vêtement. Marquez votre tricot au début de la reprise du motif, au commencement et à la fin du rang. Ainsi, vous verrez le nombre de mailles nécessaires au motif. Travaillez les mailles du côté droit de manière à correspondre à la fin de la reprise du motif et celles du côté gauche de manière à correspondre au début de la reprise.

Montage d'un vêtement

C'est la façon d'assembler les différents morceaux d'un tricot. Respectez toujours l'ordre indiqué.

Tricoter un échantillon

Même si vous avez très envie de commencer à tricoter un modèle, prenez le temps de réaliser un échantillon : cela peut sembler fastidieux, mais ce ne sera pas inutile.

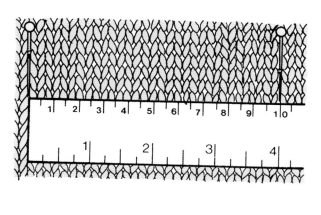

10 x 10 cm

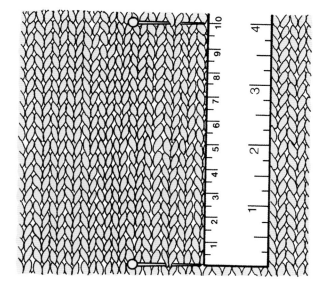

La tension du fil est un élément essentiel dans l'exécution d'un modèle. Elle détermine les dimensions du vêtement terminé et vous permet d'arriver au même nombre de mailles et de rangs par cm que la styliste. Une différence, même minime, dans la tension du fil peut avoir une grande influence sur la largeur du modèle. Tricotez un échantillon d'au moins 12 x 12 cm avec les mêmes aiguilles, fils et points que pour l'ouvrage. Lissez l'échantillon terminé sur une surface plane, sans l'étirer. Pour contrôler le nombre de mailles, placez une règle sur la largeur du tricot et marquez 10 cm avec des épingles. Comptez le nombre de mailles entre les épingles. Pour vérifier le nombre de rangs, placez une règle sur la hauteur de l'échantillon et marquez 10 cm avec des épingles. Comptez le nombre de rangs entre les épingles. Si le nombre de mailles et de rangs est plus grand que celui indiqué pour le modèle, essayez à nouveau avec des aiguilles plus grosses, s'il est plus petit, essayez avec des aiguilles plus fines.

Position du fil et des aiguilles

Avant de monter les mailles, apprenez à tenir les aiguilles et le fil.
Il est tout à fait normal de se sentir un peu malhabile au début.

Position des aiguilles

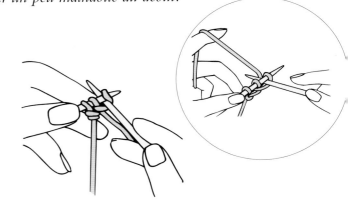

L'aiguille droite est tenue comme un crayon. Lors du montage et pendant les premiers rangs, la partie tricotée passe entre le pouce et l'index. Au fur et à mesure que le tricot progresse, glissez le pouce sous le travail et tenez l'aiguille par-dessous.

L'aiguille gauche est tenue légèrement, près de la pointe. Dans la méthode continentale (encadré), le pouce et le majeur commandent la pointe. Dans la méthode anglaise (figure principale), le pouce et l'index commandent la pointe de l'aiguille.

Position du fil

Voici deux façons pratiques d'enrouler le fil autour des doigts.

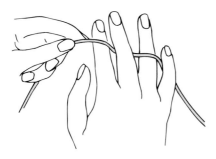

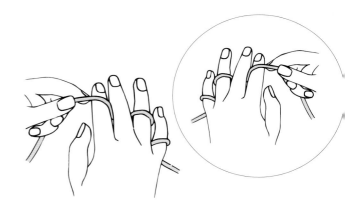

Première méthode

Tenez le fil avec la main droite, passez-le sous le petit doigt, sur l'annulaire, sous le majeur et sur l'index. Avec l'index, passez le fil autour de la pointe de l'aiguille. Vous commandez la tension du fil en le serrant dans le creux du petit doigt.

Deuxième méthode

Tenez le fil avec la main gauche (encadré) ou avec la main droite (figure principale), passez-le sous le petit doigt puis autour de celui-ci, sur l'annulaire, sous le majeur et sur l'index. Avec l'index, passez le fil autour de l'aiguille. Le fil enroulé autour de votre petit doigt crée la tension nécessaire à un tricot régulier.

Faire un nœud coulant

Le nœud coulant est à la base de toutes les techniques de montage (voir pp. 16-17).
C'est donc le point de départ essentiel en matière de tricot.

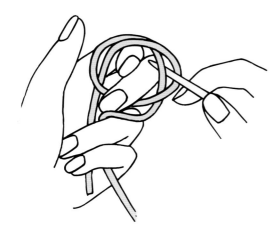

1 Enroulez le fil 2 fois autour de 2 doigts comme ci-dessus. Piquez une aiguille à travers le 1ᵉʳ brin (avant) et sous l'arrière du 2ᵉ brin.

2 À l'aide de l'aiguille, tirez le brin arrière à travers le brin avant et formez une boucle.

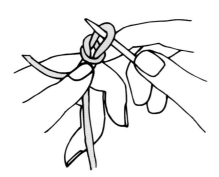

3 Tenez les bouts libres du fil avec la main gauche et tirez l'aiguille vers le haut pour serrer le nœud. Tirez encore sur le fil de la pelote pour serrer davantage le nœud.

CONSEIL : MISE EN ROUTE

On peut tenir le fil de la main droite ou de la main gauche. Essayez les deux manières pour trouver la méthode qui vous convient le mieux. L'idéal est de demander à une tricoteuse de vous monter quelques mailles pour vous faciliter le maniement du fil et des aiguilles. En général, j'utilise la méthode du pouce pour monter les mailles (voir p. 16), car elle donne un bord net et élastique qui me plaît. La longueur de fil entre le bout et le nœud coulant sert à monter les mailles. Prévoyez donc suffisamment de fil : on compte généralement 3 à 4 fois la largeur du tricot fini.
Avec la méthode câblée pour monter les mailles (voir p. 17), on obtient une finition nette et ferme, idéale pour les côtes. Si vous tricotez très serré, utilisez des aiguilles plus grosses pour le montage que pour la suite de votre ouvrage.

Montage des mailles

Le montage des mailles est la confection d'un rang de mailles qui servira de base au tricot.
Il existe plusieurs façons de monter des mailles, produisant différents types de bords.
Mes techniques préférées sont la méthode du pouce et la méthode câblée.

Méthode du pouce

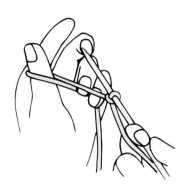

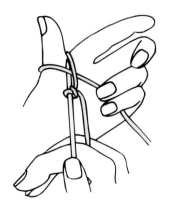

1 Faites un nœud coulant à 1 m de l'extrémité du fil (longueur suffisante pour monter le dos d'un pull d'enfant). Tenez l'aiguille de la main droite, le fil de la pelote étant sur l'index. ★Enroulez le bout libre du fil de l'avant vers l'arrière, autour de votre pouce gauche.

2 Piquez la pointe de l'aiguille sous le 1er brin de fil, sur votre pouce.

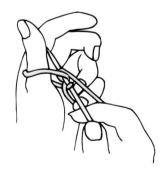

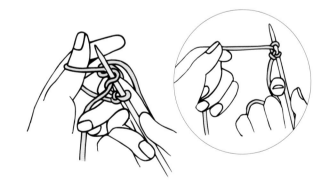

3 Avec l'index droit, ramenez le fil de la pelote sur la pointe de l'aiguille.

4 Tirez une boucle : c'est la 1re maille. Enlevez votre pouce gauche du fil, tirez sur le fil libre (encadré). Reprenez à ★ jusqu'à ce que toutes les mailles soient montées.

Méthode câblée

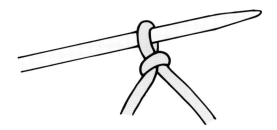

1 Le montage se fait avec 2 aiguilles. Faites un nœud coulant à 10 cm environ de la fin du fil. Tenez cette aiguille de la main gauche.

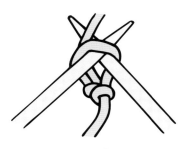

2 Piquez l'aiguille droite à travers le nœud coulant. Passez le fil de la pelote sur la pointe de l'aiguille droite.

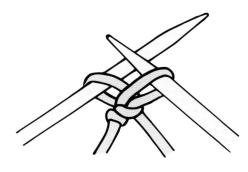

3 Avec l'aiguille droite, tirez une boucle à travers le nœud coulant.

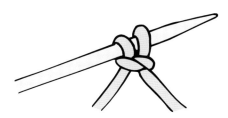

4 Placez la boucle sur l'aiguille gauche et tirez doucement sur le fil en resserrant la maille.

5 Piquez l'aiguille droite entre le nœud coulant et la 1re maille de l'aiguille gauche. Enroulez le fil autour de la pointe de l'aiguille droite.

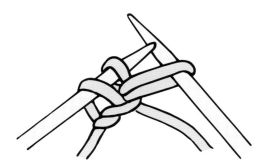

6 Tirez une boucle et glissez-la sur l'aiguille gauche. Reprenez les étapes 5 et 6, en piquant l'aiguille droite entre les 2 dernières mailles de l'aiguille gauche, jusqu'à ce que toutes les mailles soient montées.

Les points de base

Les points envers et endroit sont à la base de la plupart des tricots. Le point endroit est le plus facile à apprendre. Une fois que vous le maîtriserez, passez au point envers, légèrement plus compliqué.

Point endroit

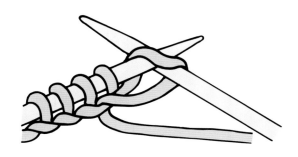

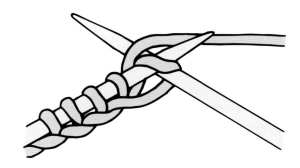

1 Tenez l'aiguille portant les mailles montées avec la main gauche, le fil étant derrière le travail. Piquez l'aiguille droite, de droite à gauche, à travers le devant de la 1re maille de l'aiguille gauche.

2 Enroulez le fil, de gauche à droite, sur la pointe de l'aiguille droite.

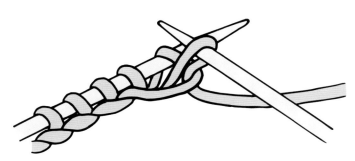

3 Tirez le fil à travers la maille et formez ainsi une nouvelle maille sur l'aiguille droite.

4 Laissez tomber la maille d'origine de l'aiguille gauche et gardez la nouvelle maille sur l'aiguille droite.

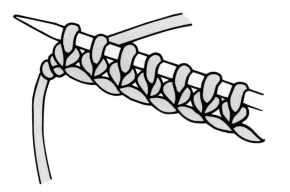

5 Pour tricoter un rang, reprenez les étapes 1 à 4 jusqu'à ce que toutes les mailles soient passées de l'aiguille gauche sur l'aiguille droite. Tournez le tricot, prenez l'aiguille portant les mailles avec la main gauche et effectuez le rang suivant.

Point envers

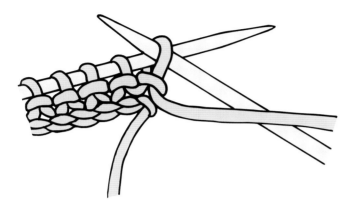

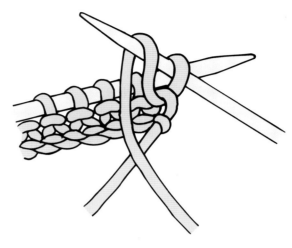

1 Tenez l'aiguille portant les mailles avec la main gauche, le fil étant devant le travail. Piquez l'aiguille droite, de droite à gauche, par devant, dans la 1ʳᵉ maille de l'aiguille gauche.

2 Enroulez le fil, de droite à gauche, sur la pointe de l'aiguille droite.

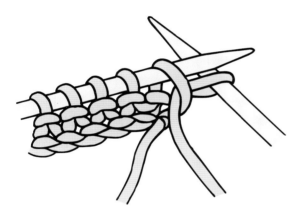

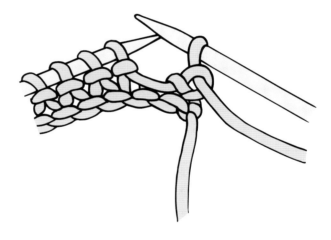

3 Tirez le fil à travers la maille et formez ainsi une nouvelle maille sur l'aiguille droite.

4 Laissez tomber la maille d'origine de l'aiguille gauche et gardez la nouvelle maille sur l'aiguille droite.

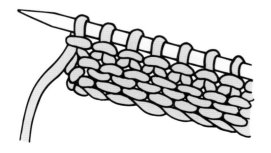

5 Pour tricoter un rang à l'envers, reprenez les étapes 1 à 4 jusqu'à ce que toutes les mailles soient passées de l'aiguille gauche sur l'aiguille droite. Tournez l'ouvrage, prenez l'aiguille portant les mailles avec la main gauche et effectuez le rang suivant.

Les augmentations

Pour faire une augmentation, tricotez la même maille une fois par devant et une fois par derrière.

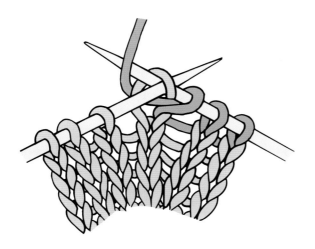

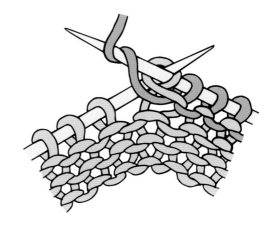

Sur un rang endroit, piquez par devant dans une maille, puis, avant de la faire tomber de l'aiguille, placez l'aiguille droite derrière l'aiguille gauche et tricotez-la par derrière. Laissez tomber la maille d'origine de l'aiguille gauche.

Sur un rang envers, tricotez à l'envers dans l'avant d'une maille puis, avant de la laisser tomber de l'aiguille, tricotez-la à l'envers par derrière. Laissez tomber la maille d'origine de l'aiguille gauche.

Les diminutions

La méthode la plus simple pour faire une diminution consiste à tricoter 2 mailles ensemble.

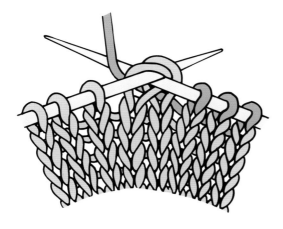

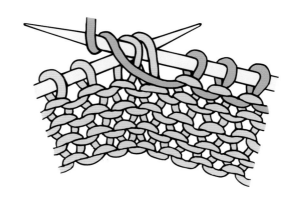

Sur un rang endroit, piquez l'aiguille droite, de gauche à droite, à travers 2 mailles ; tricotez-les à l'endroit comme une seule maille. On dit : « tricoter deux mailles ensemble à l'endroit » (2 m. ens. end.).

Sur un rang envers, piquez l'aiguille droite, de droite à gauche, à travers 2 mailles, puis tricotez-les ensemble à l'envers. On dit : « tricoter deux mailles ensemble à l'envers » (2 m. ens. env.).

Les terminaisons

La méthode la plus simple pour arrêter les mailles quand vous avez fini un tricot est de rabattre les mailles. Le bord terminé doit avoir la même souplesse et la même élasticité que le tricot lui-même et il faut toujours rabattre les mailles avec le point employé pour le reste de l'ouvrage, sauf exception précisée.

À l'endroit

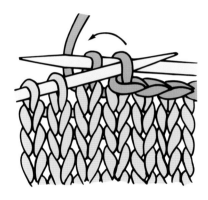

Tricotez 2 mailles à l'endroit. ★ Avec la pointe de l'aiguille gauche, faites passer la 1re maille sur l'aiguille droite, par dessus la 2e maille, puis laissez-la tomber de l'aiguille. Tricotez la maille suivante et reprenez à ★ jusqu'à ce que toutes les mailles de l'aiguille gauche aient été tricotées et qu'il n'en reste qu'une sur l'aiguille droite. Coupez le fil (en en laissant assez pour pouvoir rentrer le brin, voir p. 68), tirez son extrémité à travers la maille qui tombe ainsi de l'aiguille. Tirez bien pour arrêter le fil.

À l'envers

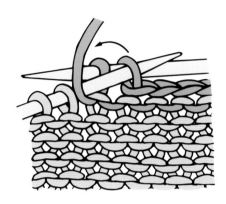

Tricotez 2 mailles à l'envers. ★ Avec la pointe de l'aiguille gauche, faites passer la 1re maille sur l'aiguille droite, par dessus la 2e maille, puis laissez-la tomber de l'aiguille. Tricotez la maille suivante à l'envers et reprenez à ★ jusqu'à ce que toutes les mailles de l'aiguille gauche aient été tricotées et qu'il n'en reste qu'une sur l'aiguille droite.
Arrêtez la dernière maille de la même manière que pour la terminaison à l'endroit.

CONSEIL : LES TERMINAISONS

*En dépit de votre impatience à terminer, rabattez les mailles avec soin. Il vous faut tenir compte de la partie du vêtement sur laquelle vous travaillez. S'il s'agit d'une encolure, veillez à ce que le bord terminé ne soit pas trop serré pour laisser passer la tête. Si vous tricotez serré, utilisez éventuellement une aiguille plus grosse.
La plupart des encolures et bandes des devants des*

vestes et cardigans sont travaillées en côtes. Il faut donc terminer leurs bords avec des côtes, c'est-à-dire rabattre les mailles à l'endroit et à l'envers, comme elles se présentent. Les points ajourés doivent aussi être rabattus selon le motif, avec surjets, augmentations ou diminutions afin de s'assurer que l'ouvrage ne s'élargisse ou ne se resserre pas.

Modèle 1 : sac au point mousse

Ce sac est tricoté avec le plus simple des points, le point mousse. Comme il n'y a pas de forme à donner, vous n'aurez pas à vous soucier d'augmentations ou de diminutions. Vous pourrez ainsi vous concentrer sur la confection d'un tricot net et régulier et prendre plaisir à réaliser votre premier ouvrage.

• Fournitures

6 pelotes de 50 g de coton à tricoter Rowan (DK Handknit Cotton).
1 paire d'aiguilles n° 4.

• Mesures

Environ 33 x 34 cm.

• Échantillon

10 x 10 cm = 20 m. et 38 rangs au point mousse (tous les rangs à l'endroit), aiguilles n° 4.

• Abréviations

Les explications de ce modèle ne comportent pas d'abréviations.

Réalisation

Avec les aiguilles n° 4, montez 132 m.

Rang 1 : tout à l'endroit.

Le point mousse se forme sur ce rang. Répétez ce rang jusqu'à une hauteur totale de 34 cm.

La bandoulière

Au début des 2 rangs suivants, rabattez 60 m. à l'endroit. Restent 12 m.
Continuez sur ces m. jusqu'à obtenir une longueur de bandoulière de 75 cm environ. Rabattez.

Montage

Pliez le sac en deux dans le sens de la largeur et cousez le côté et le fond.
Placez le milieu du bord terminé de la bandoulière sur la couture latérale et cousez-la.
(Voir également l'atelier des finitions).

Modèle 2 : pull au point jersey

*Ce pull d'enfant est tricoté au point jersey avec un bord au point mousse
qui empêche le tricot de rouler. Le dos et le devant sont identiques et l'encolure bateau
n'exige pas de travail particulier. Les manches nécessitent des augmentations.*

• Fournitures

7 (8 ; 9 ; 11 ; 13) pelotes de 50 g de coton à tricoter Rowan (DK Handknit Cotton).
1 paire d'aiguilles n° 3,5.
1 paire d'aiguilles n° 4.

• Mesures du vêtement

Âge	1-2	2-3	3-4	4-5	5-6	ans
Tour de poitrine (pull)	73	81	85	89	91	cm
Longueur	37	43	46	51	56	cm
Longueur des manches	20	22	24	27	30	cm

• Échantillon

10 x 10 cm = 20 m. et 28 rangs au point jersey (1er rang endroit, 2e rang envers), aiguilles n° 4.

• Abréviations

Les explications de ce modèle ne comportent pas d'abréviations.

Dos

Avec les aiguilles n° 3,5, montez 73 (81 ; 85 ; 89 ; 91) m. Tricotez 6 rangs au point mousse. Avec les aiguilles n° 4, commencez par 1 rang à l'endroit, continuez au point jersey jusqu'à une hauteur totale de 36 (42 ; 45 ; 50 ; 55) cm. Terminez par 1 rang à l'endroit. Tricotez 5 rangs à l'endroit. Rabattez au point endroit.

Devant

Réalisez le devant comme le dos.

Manches

Avec les aiguilles n° 3,5, montez 33 (37 ; 39 ; 41 ; 43) m.
Tricotez 6 rangs au point mousse. Puis, avec les aiguilles n° 4, faites 2 rangs au point jersey en commençant par 1 rang à l'endroit.

Rang endroit avec augmentations

Tricotez la 1re m. à l'endroit, par devant et par derrière ; tricotez le rang à l'endroit jusqu'à la dernière m., tricotez celle-ci par devant et par derrière. Tricotez 2 rangs au point jersey.

Rang envers avec augmentations

Tricotez la 1re m. à l'envers, par devant et par derrière ; tricotez à l'envers jusqu'à la dernière m., tricotez celle-ci à l'envers par devant et par derrière. Tricotez 2 rangs au point jersey.
Répétez les 6 derniers rangs encore 7 (7 ; 8 ; 9 ; 9) fois.
Vous obtenez 65 (69 ; 75 ; 81 ; 83) m. Tricotez jusqu'à obtenir une hauteur totale de la manche de 20 (22 ; 24 ; 27 ; 30) cm, en terminant par 1 rang à l'envers. Rabattez les m. souplement.

Montage

Placez le bord au point mousse du haut du dos contre celui du devant, endroit contre endroit, et cousez sur 7 (9 ; 10 ; 11 ; 12) cm à travers les deux épaisseurs pour les épaules, à partir des bords latéraux.
Placez des repères à 16 (17 ; 19 ; 20 ; 21) cm sous la couture d'épaule, sur les bords latéraux du devant et du dos.
Cousez le bord du haut des manches entre les repères. Faites la couture des manches, puis celle des côtés jusqu'au bord au point mousse, en laissant de petites fentes sur les côtés.
(Voir également l'atelier des finitions).

CHAPITRE DEUX

L'atelier des points simples

À PRÉSENT que vous avez appris à monter et à rabattre les mailles, à tricoter à l'endroit et à l'envers, à faire des diminutions et des augmentations, vous êtes prête pour les techniques suivantes : tricoter des côtes, relever des mailles autour d'une encolure et faire une boutonnière.

Dans les pages consacrées aux points simples (pp. 32–37), vous verrez que les motifs les plus élémentaires peuvent faire beaucoup d'effet. Des combinaisons de points endroit et envers donnent des textures raffinées, surtout avec un fil qui fait bien ressortir le point. Ainsi, le classique point de riz peut remplacer les côtes pour un col ou les bordures d'un gilet.

Dans cet atelier, vous réaliserez deux coussins (l'un au point mousse, l'autre au point de riz), ainsi qu'un pull pour enfant. Ces modèles font appel aux techniques et points appris dans « L'atelier de la débutante », ainsi qu'à quelques autres, qui vous seront expliqués dans ce chapitre.

Côtes simples et doubles

Elles sont appelées « côtes 1-1 » et « côtes 2-2 ». Les bords sont généralement tricotés en côtes pour donner une texture souple et élastique aux cols et aux poignets.

Côtes 1-1

Cet exemple est travaillé sur un nombre pair de mailles, mais n'importe quel nombre de mailles convient.

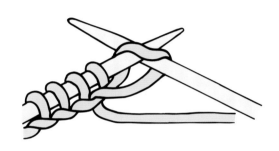

1 Le fil étant derrière le travail, tricotez la 1re maille à l'endroit.

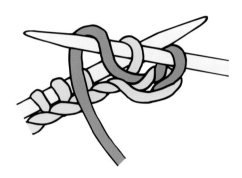

2 Ramenez le fil devant le travail entre les aiguilles et tricotez la maille suivante à l'envers.

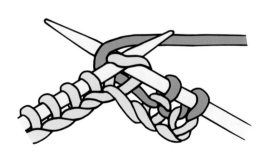

3 Ramenez le fil derrière le travail entre les aiguilles et tricotez la maille suivante à l'endroit.

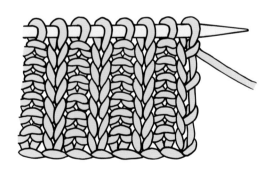

4 Reprenez les étapes 2 et 3 tout le long du 1er rang.

Sur les rangs suivants, tricotez les mailles comme elles se présentent (tricotez à l'endroit les mailles tricotées à l'envers sur le rang précédent et tricotez à l'envers celles qui ont été tricotées à l'endroit sur le rang précédent). Avec un nombre impair de mailles, les côtes 1-1 commenceront et finiront par une maille endroit au 1er rang et par une maille envers au 2e rang.

En utilisant les abréviations (voir p. 158) et pour un nombre impair de mailles, on lirait :

Rang 1 : 1 m. end.,★1 m. env., 1 m. end. ; rep. à ★.

Rang 2 : 1 m. env., ★1 m. end.,1 m. env. ; rep. à ★.

Rep. ces 2 rangs.

Côtes 2-2

Les côtes 2-2 se travaillent sur un nombre pair de mailles, divisible par 4 ou par 4 plus 2 mailles. L'exemple ci-dessous est exécuté sur un nombre divisible par 4 plus 2.

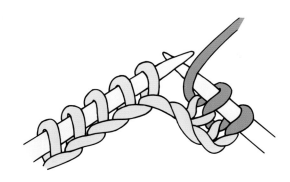

1 Le fil étant derrière le travail, tricotez les 2 premières mailles à l'endroit. Ramenez le fil devant le travail entre les aiguilles.

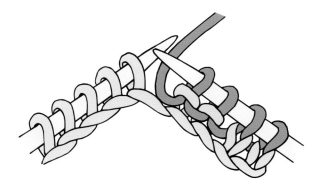

2 Tricotez les 2 mailles suivantes à l'envers et ramenez le fil derrière le travail, entre les aiguilles.

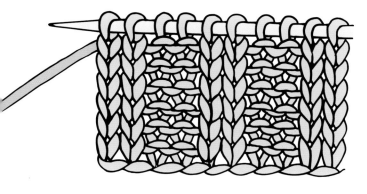

3 Continuez ainsi jusqu'à ce que toutes les mailles soient sur l'aiguille de droite et le 1er rang terminé.

Aux rangs suivants, tricotez les mailles comme elles se présentent. Si le 1er rang commence et finit par 2 mailles endroit, le 2e rang commencera donc et finira par 2 mailles envers.

Dans les explications d'un modèle, on lirait :

Rang 1 : 2 m. end., ★ 2 m. env., 2 m. end. ; rep. à ★.
Rang 2 : 2 m. env., ★ 2 m. end., 2 m. env. ; rep. à ★.
Rep. ces 2 rangs.

CONSEIL : LES CÔTES

Pour les côtes, il est important que la tension du fil reste régulière, car le fil qui passe en avant et en arrière entre les mailles endroit et envers peut détendre le travail. C'est la raison pour laquelle les côtes se tricotent en général sur des aiguilles de deux numéros plus fines que celles utilisées pour le corps du vêtement.

Si la partie principale est travaillée avec un motif en couleur ou avec un point très serré, il est encore plus important que les côtes ne soient pas trop lâches, car la rencontre du bord mou, manquant d'élasticité, et de la texture plus dense du vêtement risque de provoquer des godets.

Le choix des côtes 1-1 ou des côtes 2-2 pour les bords dépend du style du vêtement et de vos goûts. Les côtes 1-1 resserrent davantage le bord, les côtes 2-2, travaillées en torsades, peuvent convenir à un modèle de style irlandais.

Relever les mailles

Un bord ou une bande peuvent être tricotés à part puis cousus sur un vêtement (voir pp. 150-152)
ou bien réalisés en relevant les mailles (on dit : « relever les mailles en les tricotant »).

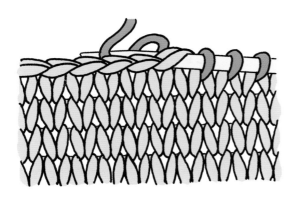

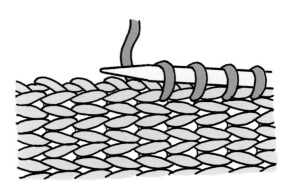

Pour relever les mailles d'un bord de montage ou de terminaison (le long des mailles rabattues d'une encolure de dos, par exemple), placez l'ouvrage côté endroit vers vous, piquez la pointe de l'aiguille droite, d'avant en arrière, sous les 2 boucles du bord de la 1re maille, enroulez le fil autour de la pointe de l'aiguille et tirez une boucle à travers, comme si vous tricotiez : vous aurez alors une nouvelle maille sur l'aiguille.

Continuez ainsi le long du bord jusqu'à obtention du nombre de mailles souhaité.

Pour relever des mailles sur un bord latéral (sur le bord droit du devant d'une veste, par exemple), placez l'ouvrage côté endroit vers vous et piquez la pointe de l'aiguille droite, d'avant en arrière, entre la 1re et la 2e maille du 1er rang (en prenant une maille entière à partir du bord). Enroulez le fil autour de la pointe de l'aiguille et tirez une boucle à travers, comme si vous tricotiez : vous aurez alors une nouvelle maille sur l'aiguille. Continuez ainsi le long du bord jusqu'à obtention du nombre de mailles voulu. Si le fil est très gros, travaillez à travers le milieu de la maille lisière ; de cette façon, vous ne prendrez qu'une demi-maille et réduirez l'épaisseur de la lisière.

Pour relever des mailles sur un bord en forme (un décolleté en V, par exemple), employez la technique décrite ci-dessus et relevez les mailles sur le bord droit de l'encolure. Sur la partie qui forme le décolleté, piquez l'aiguille dans les mailles un rang au-dessous des diminutions pour éviter de créer des trous. Tirez une boucle pour faire une maille comme précédemment.

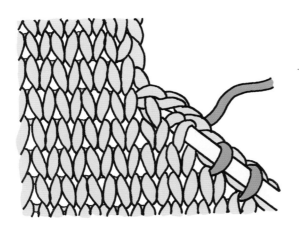

Ajouter une maille *(1 m. aj.)*

Avec cette technique d'augmentation, on travaille dans le brin entre 2 mailles. En tricotant la maille « levée » par derrière, vous tordez le brin, ce qui empêche la formation d'un trou.

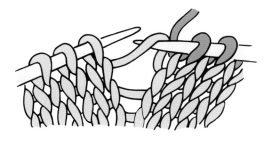

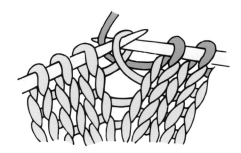

1 Piquez l'aiguille droite, d'avant en arrière, sous le brin horizontal, entre la maille qui vient d'être tricotée sur l'aiguille droite et la maille suivante, qui se trouve sur l'aiguille gauche.

2 Placez ce brin, d'arrière en avant, sur l'aiguille gauche et tricotez-le à l'endroit ou à l'envers.

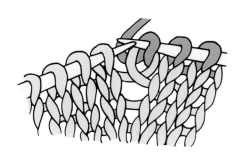

3 Vous obtenez une nouvelle maille sur l'aiguille droite. Faites tomber le brin de l'aiguille gauche.

Boutonnière

Choisissez des boutons adaptés et soignez vos boutonnières pour donner une finition parfaite au vêtement.

Cette boutonnière est travaillée sur 2 rangs. Les mailles sont rabattues sur 1 rang et remontées au rang suivant. Le nombre de mailles à rabattre dépend de la taille du bouton et de la grosseur du fil. Sur 1 rang, sur l'endroit de l'ouvrage, commencez une boutonnière en rabattant les mailles nécessaires, puis finissez le rang. Tricotez le rang suivant jusqu'aux mailles rabattues, tournez l'ouvrage et montez le même nombre de mailles selon la méthode câblée (voir p. 17) ; tournez l'ouvrage et finissez le rang.

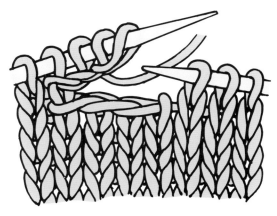

La famille des points simples

Notre première famille de points se compose de 25 motifs très faciles à exécuter. Essayez-les avec différents types et grosseurs de fils : vous verrez combien ils peuvent changer. Par exemple, des points subtils comme le « semis piqué simple » ou le « diamants piqués » ressortent bien avec un coton, qui rehausse davantage le détail d'un motif qu'une laine, qu'elle soit mélangée ou non. Les teintes foncées, les tweeds ou les fils ayant du grain peuvent masquer certains de ces motifs.

Point mousse

Nombre de m. indifférent.
Rang 1 : tout à l'endroit.
Rep. ce rang.

Côtes simples ou côtes 1-1

Nombre de m. pair.
Rang 1 (endroit) : ★1 m. end., 1 m. env.★, tout le rang.
Rang 2 : comme le rang 1.
Rep. ces 2 rangs.

Point jersey

Nombre de m. indifférent.
Rang 1 (endroit) : tricotez à l'endroit.
Rang 2 : tricotez à l'envers.
Rep. ces 2 rangs.

Côtes doubles ou côtes 2-2

Nombre de m. divisible par 4 + 2 m.
Rang 1 (endroit) : 2 m. end., ★2 m. env., 2 m. end.★, tout le rang.
Rang 2 : 2 m. env., ★2 m. end., 2 m. env.★, tout le rang.
Rep. ces 2 rangs.

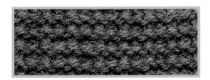

Point de riz

Nombre de m. divisible par 2 + 1 m.
Rang 1 : 1 m. end., ★1 m. env., 1 m. end.★, tout le rang.
Rep. ce rang.

Jersey envers

Nombre de m. indifférent.
Tricotez comme le jersey, le côté envers étant utilisé comme endroit.
Rang 1 (endroit) : tout à l'envers.

Rang 2 : tout à l'endroit.
Rep. ces 2 rangs.

Point de riz double

Nombre de m. divisible par 2 + 1 m.
Rang 1 (endroit) : 1 m. end., *1 m. env., 1 m. end.*,
tout le rang.
Rang 2 : 1 m. env., *1 m. end., 1 m. env.*, tout le rang.
Rang 3 : 1 m. env., *1 m. end.,1 m. env.*, tout le rang.
Rang 4 : 1 m. end., *1 m. env., 1 m. end.*, tout le rang.
Rep. ces 4 rangs.

Fausses côtes anglaises

Nombre de m. divisible par 4 + 1 m.
Rang 1 (endroit) : 2 m. end., *1 m. env., 3 m. end.* jusqu'aux
3 dernières m. : 1 m. env., 2 m. end.
Rang 2 : 1 m. env., *3 m. end., 1 m. env.*, tout le rang.
Rep. ces 2 rangs.

Point tissé

Nombre de m. divisible par 4 + 2 m.
Rang 1 (endroit) : tout à l'endroit.
Rang 2 : tout à l'envers.
Rang 3 : 2 m. end., *2 m. env., 2 m. end.*, tout le rang.
Rang 4 : 2 m. env., *2 m. end., 2 m. env.*, tout le rang.
Rang 5 : tout à l'endroit.

Rang 6 : tout à l'envers.
Rang 7 : 2 m. env., *2 m. end., 2 m. env.*, tout le rang.
Rang 8 : 2 m. end., *2 m. env., 2 m. end.*, tout le rang.
Rep. ces 8 rangs.

Diamants piqués

Nombre de m. divisible par 8 + 1 m.
Rang 1 (endroit) : tout à l'endroit.
Rang 2 : 1 m. end., *7 m. env., 1 m. end.*, tout le rang.
Rang 3 : 4 m. end., *1 m. env., 7 m. end.* jusqu'aux 5 dernières m. :
1 m. env., 4 m. end.
Rang 4 : 1 m. end., *2 m. env., 1 m. end., 1 m. env., 1 m. end., 2 m. env.,
1 m. end.*, tout le rang.
Rang 5 : 2 m. end., *(1 m. env., 1 m. end.) 2 fois, 1 m. env., 3 m. end. ;
rep. à * jusqu'aux 7 dernières m. : (1 m. env., 1 m. end.) 2 fois, 1 m. env.,
2 m. end.
Rang 6 : comme rang 4.
Rang 7 : comme rang 3.
Rang 8 : comme rang 2.
Rep. ces 8 rangs.

Point de grille

Nombre de m. divisible par 6 + 1 m.
Rang 1 (endroit) : 3 m. end., 1 m. env., *5 m. end., 1 m. env.* jusqu'aux
3 dernières m. : 3 m. end.
Rang 2 : 2 m. env., 1 m. end., 1 m. env., 1 m. end., *3 m. env., 1 m. end.,
1 m. env., 1 m. end.* jusqu'aux 2 dernières m. : 2 m. env.
Rang 3 : 1 m. end., 1 m. env., *3 m. end., 1 m. env., 1 m. end., 1 m. env.*
jusqu'aux 5 dernières m. : 3 m. end., 1 m. env., 1 m. end.
Rang 4 : 1 m. end., *5 m. env., 1 m. end.*, tout le rang.
Rang 5 : comme rang 3.
Rang 6 : comme rang 2.
Rep. ces 6 rangs.

Semis piqué simple

Nombre de m. divisible par 4 + 1 m.

Rang 1 (endroit) : 1 m. env., ★3 m. end., 1 m. env.★ jusqu'aux 2 dernières m. : 2 m. end.

Rang 2 : tout à l'envers.

Rang 3 : tout à l'endroit.

Rang 4 : tout à l'envers.

Rang 5 : 2 m. end., 1 m. env., ★3 m. end., 1 m. env.★, tout le rang.

Rangs 6 à 8 : comme rangs 2 à 4.

Rep. ces 8 rangs.

Chenille oblique

Nombre de m. divisible par 8 + 6 m.

Rang 1 (endroit) : 4 m. end., 2 m. env., ★6 m. end., 2 m. env.★, tout le rang.

Rang 2 : 1 m. env., 2 m. end., ★6 m. env., 2 m. end.★ jusqu'aux 3 dernières m. : 3 m. env.

Rang 3 : 2 m. end., 2 m. env., ★6 m. end., 2 m. env.★ jusqu'aux 2 dernières m. : 2 m. end.

Rang 4 : 3 m. env., 2 m. end., ★6 m. env., 2 m. end.★, jusqu'à la dernière m. : 1 m. env.

Rang 5 : 2 m. env., ★6 m. end., 2 m. env.★ jusqu'aux 4 dernières m. : 4 m. end.

Rang 6 : tout à l'envers.

Rep. ces 6 rangs.

Feuilles piquées

Nombre de m. divisible par 10.

Rang 1 (endroit) : ★5 m. env., 5 m. end.★, tout le rang.

Rang 2 : 1 m. end., ★5 m. env., 5 m. end.★ jusqu'aux 9 dernières m. : 5 m. env., 4 m. end.

Rang 3 : 3 m. env., ★5 m. end., 5 m. env.★ jusqu'aux 7 dernières m. : 5 m. end., 2 m. env.

Rang 4 : 3 m. end., ★5 m. env., 5 m. end.★ jusqu'aux 7 dernières m. : 5 m. env., 2 m. end.

Rang 5 : 1 m. env., ★5m. end., 5 m. env.★ jusqu'aux 9 dernières m. : 5 m. end., 4 m. env.

Rang 6 : 4 m. env., ★5 m. end., 5 m. env.★ jusqu'aux 6 dernières m. : 5 m. end., 1 m. env.

Rang 7 : 2 m. end., ★5 m. env., 5 m. end.★ jusqu'aux 8 dernières m. : 5 m. env., 3 m. end.

Rang 8 : 2 m. env., ★5 m. end., 5 m. env.★ jusqu'aux 8 dernières m. : 5 m. env., 3 m. env.

Rang 9 : 4 m. end., ★5 m. env., 5 m. end.★ jusqu'aux 6 dernières m. : 5 m. env., 1 m. end.

Rang 10 : ★5 m. end., 5 m. env.★, tout le rang.

Rep. ces 10 rangs.

Chevrons piqués

Nombre de m. divisible par 6 + 5 m.

Rang 1 (endroit) : 5 m. end., ★1 m. env., 5 m. end.★, tout le rang.

Rang 2 : 1 m. end., ★3 m. env., 3 m. end.★ jusqu'aux 4 dernières m. : 3 m. env., 1 m. end.

Rang 3 : 2 m. env., ★1 m. end., 2 m. env.★, tout le rang.

Rang 4 : 1 m. env., ★3 m. end., 3 m. env.★ jusqu'aux 4 dernières m. : 3 m. end., 1 m. env.

Rang 5 : 2 m. end., ★1 m. env., 5 m. end.★ jusqu'aux 3 dernières m. : 1 m. env., 2 m. end.

Rang 6 : tout à l'envers.

Rep. ces 6 rangs.

Flèches piquées

Nombre de m. divisible par 8 + 1 m.

Rang 1 (endroit) : 1 m. end., ★1 m. env., 5 m. end., 1 m. env., 1 m. end.★, tout le rang.

Rang 2 : 1 m. env., ★2 m. end., 3 m. env., 2 m. end., 1 m. env.★, tout le rang.

Rang 3 : 2 m. end., 2 m. env., 1 m. end., 2 m. env., ★3 m. end., 2 m. env., 1 m. end., 2 m. env.★ jusqu'aux 2 dernières m. : 2 m. end.

Rang 4 : 3 m. env., 1 m. end., 1 m. env., 1 m. end., ★5 m. env., 1 m. end., 1 m. env., 1 m. end.★ jusqu'aux 3 dernières m. : 3 m. env.

Rep. ces 4 rangs.

Point damier

Nombre de m. divisible par 8 + 4 m.

Rang 1 : 4 m. end., ★4 m. env., 4 m. end.★, tout le rang.

Rang 2 : 4 m. env., ★4 m. end., 4 m. env.★, tout le rang.

Rang 3 : comme rang 1.

Rang 4 : comme rang 2.

Rang 5 : 4 m. env., ★ 4 m. end., 4 m. env.★, tout le rang.

Rang 6 : 4 m. end., ★4 m. env., 4 m. end.★, tout le rang.

Rang 7 : comme rang 5.

Rang 8 : comme rang 6.

Rep. ces 8 rangs.

Côtes obliques

Nombre de m. divisible par 5 + 2 m.

Rang 1 et tous les rangs impairs (endroit) : tout à l'endroit.

Rang 2 : ★2 m. env., 3 m. end.★ jusqu'aux 2 dernières m. : 2 m. env.

Rang 4 : 1 m. end., ★2 m. env., 3 m. end.★ jusqu'à la dernière m. : 1 m. env.

Rang 6 : 2 m. end., ★2 m. env., 3 m. end.★, tout le rang.

Rang 8 : ★3m. end., 2 m. env.★ jusqu'aux 2 dernières m. : 2 m. end.

Rang 10 : 1 m. env., ★3 m. end., 2 m. env.★ jusqu'à la dernière m. : 1 m. end.

Rep. ces 10 rangs.

Côtes en chevrons

Nombre de m. divisible par 12 + 1 m.

Rang 1 (endroit) : 2 m. env., 2 m. end., 2 m. env., 1 m. end., 2 m. env., 2 m. end., ★3 m. env., 2 m. end., 2 m. env., 1 m. end., 2 m. env., 2 m. end.★ jusqu'aux 2 dernières m. : 2 m. env.

Rang 2 : 1 m. end., ★2 m. env., 2 m. end., 3 m. env., 2 m. end., 2 m. env., 1 m. end.★, tout le rang.

Rang 3 : 2 m. end., 2 m. env., 2 m. end., 1 m. env., 2 m. end., 2 m. env., ★3 m. end., 2 m. env., 2 m. end., 1 m. env., 2 m. end., 2 m. env.★ jusqu'aux 2 dernières m. : 2 m. end.

Rang 4 : 1 m. env., ★2 m. end., 2 m. env., 3 m. end., 2 m. env., 2 m. end., 1 m. env.★, tout le rang.

Rep. ces 4 rangs.

Zigzag piqué

Nombre de m. divisible par 9.
Rang 1 (endroit) : ★(1 m. end., 1 m. env.) 2 fois, 4 m. end., 1 m. env.★, tout le rang.
Rang 2 : ★4 m. env., (1 m. end., 1 m. env.) 2 fois, 1 m. end.★, tout le rang.
Rang 3 : (1 m. end., 1 m. env.) 3 fois, ★4 m. end., (1 m. env., 1 m. end.) 2 fois, 1 m. env. ★ jusqu'aux 3 dernières m. : 3 m. end.
Rang 4 : 2 m. env., ★(1 m. end., 1 m. env.) 2 fois, 1 m. end., 4 m. env.★ jusqu'aux 7 dernières m. : (1 m. end., 1 m. env.) 2 fois, 1 m. end., 2 m. env.
Rang 5 : 3 m. end., ★(1 m. env., 1 m. end.) 2 fois, 1 m. env., 4 m. end.★ jusqu'aux 6 dernières m. : (1 m. env., 1 m. end.) 3 fois.
Rang 6 : ★(1 m. end., 1 m. env.) 2 fois, 1 m. end., 4 m. env.★, tout le rang.
Rang 7 : comme rang 5.
Rang 8 : comme rang 4.
Rang 9 : comme rang 3.
Rang 10 : comme rang 2.
Rep. ces 10 rangs.

Triangles piqués

Nombre de m. divisible par 8.
Rang 1 (endroit) : ★1 m. env., 7 m. end.★, tout le rang.
Rang 2 : 6 m. env., ★1 m. end., 7 m. env.★ jusqu'aux 2 dernières m. : 1 m. end., 1 m. env.
Rang 3 : ★1 m. env., 1. m. end., 1 m. env., 5 m. end.★, tout le rang.
Rang 4 : 4 m. env., ★1 m. end., 1 m. env., 1 m. end., 5 m. env.★ jusqu' aux 4 dernières m. : (1 m. end., 1 m. env.) 2 fois.
Rang 5 : ★(1 m. env., 1 m. end.) 2 fois, 1 m. env., 3 m. end.★, tout le rang.
Rang 6 : 2 m. env., ★(1 m. end., 1 m. env.) 2 fois, 1 m. end., 3 m. env.★ jusqu'aux 6 dernières m. : (1 m. end., 1 m. env.) 3 fois.
Rang 7 : ★1 m. env., 1 m. end.★, tout le rang.
Rang 8 : comme rang 6.

Rang 9 : comme rang 5.
Rang 10 : comme rang 4.
Rang 11 : comme rang 3.
Rang 12 : comme rang 2.
Rep. ces 12 rangs.

Ancre

Motif de 17 m. sur fond de jersey.
Rang 1 (endroit) : 3 m. env., 11 m. end., 3 m. env.
Rang 2 : 1 m. end., 1 m. env., ★1 m. end., 5 m. env.★ 2 fois, 1 m. end., 1 m. env., 1 m. end.
Rang 3 : 3 m. env., 4 m. end., 1 m. env., 1 m. end., 1 m. env., 4 m. end., 3 m. env.
Rang 4 : 1 m. end., 1 m. env., 1 m. end., 3 m. env., ★1 m. end., 1 m. env.★ 2 fois, 1 m. end., 3 m. env., 1 m. end., 1 m. env., 1 m. end.
Rang 5 : 3 m. env., 2 m. end., 1 m. env., 5 m. end., 1 m. env., 2 m. end., 3 m. env.
Rang 6 : ★1 m. end., 1 m. env.★ 2 fois, (1 m. end., 3 m. env.) 2 fois, ★1 m. end., 1 m. env.★ 2 fois, 1 m. end.
Rang 7 : 3 m. env., 1 m. end., 1 m. env., 7 m. end., 1 m. env., 1 m. end., 3 m. env.
Rang 8 : comme rang 2.
Rangs 9 et 10 : comme rangs 1 et 2.
Rang 11 : comme rang 1.
Rang 12 : 1 m. end., 1 m. env., 1 m. end., 3 m. env., 5 m. end., 3 m. env., 1 m. end., 1 m. env., 1 m. end.
Rang 13 : 3 m. env., 3 m. end., 5 m. env., 3 m. end., 3 m. env.
Rang 14 : comme rang 12.
Rangs 15 à 18 : rep. rangs 1 et 2 deux fois.
Rang 19 : comme rang 3.
Rang 20 : 1 m. end., 1 m. env., ★1 m. end., 3 m. env.★ 3 fois, 1 m. end., 1 m. env., 1 m. end.
Rang 21 : comme rang 3.
Rang 22 : comme rang 2.
Rang 23 : comme rang 1.
Rang 24 : 1 m. end., 1 m. env., 1 m. end., 11 m. env., 1 m. end., 1 m. env., 1 m. end.
Rep. ces 24 rangs.

Croisillons piqués

Nombre de m. divisible par 8 + 7 m.
Rang 1 (endroit) : 7 m. env., ★1 m. end., 7 m. env.★, tout le rang.
Rang 2 : 3 m. end., 1 m. env., ★2 m. end., 3 m. env., 2 m. end., 1 m. env.★ jusqu'aux 3 dernières m. : 3 m. end.
Rang 3 : 2 m. env., 3 m. end., ★2 m. env., 1 m. end., 2 m. env., 3 m. end.★ jusqu'aux 2 dernières m. : 2 m. env.
Rang 4 : 1 m. end., 5 m. env., ★3 m. end., 5 m. env.★ jusqu'à la dernière m. : 1 m. end.
Rang 5 : 7 m. end., ★1 m. env., 7 m. end.★, tout le rang.
Rang 6 : comme rang 4.
Rang 7 : comme rang 3.
Rang 8 : comme rang 2.
Rang 9 : comme rang 1.
Rangs 10, 11 et 12 : tout à l'envers.
Rep. ces 12 rangs.

Arbre de vie

Motif de 23 m. sur fond de jersey.
Rang 1 (endroit) : 4 m. env., 7 m. end., 1 m. env., 7 m. end., 4 m. env.
Rang 2 : 1 m. end., 2 m. env., 1 m. end., 6 m. env., 1 m. end., 1 m. env., 1 m. end., 6 m. env., 1 m. end., 2 m. env., 1 m. end.
Rang 3 : 4 m. env., 5 m. end., 1 m. env., 3 m. end., 1 m. env., 5 m. end., 4 m. env.
Rang 4 : ★1 m. end., 2 m. env., 1 m. end., 4 m. env., 1 m. end., 2 m. env.★ 2 fois, 1 m. end.
Rang 5 : 4 m. env., 3 m. end., 1 m. env., 2 m. end., 1 m. env., 1 m. end., 1 m. env., 2 m. end., 1m. env., 3 m. end., 4 m. env.
Rang 6 : ★1 m. end., 2 m. env.★ 3 fois, 1 m. end., 3 m. env., (1 m. end., 2 m. env.) 3 fois, 1 m. end.
Rang 7 : 4 m. env., 1 m. end., ★1 m. env., 2 m. end.★ 4 fois, 1 m. env., 1 m. end., 4 m. env.
Rang 8 : 1 m. end., 2 m. env., 1 m. end., 3 m. env., 1 m. end., 2 m. env., 1 m. env., 1 m. end., 1 m. env., 2 m. env., 1 m. end., 3 m. env., 1 m. end., 2 m. env., 1 m. end.

Rang 9 : 4 m. env., ★2 m. end., 1 m. env.★ 2 fois, 3 m. end., (1 m. env., 2 m. end.) 2 fois, 4 m. env.
Rang 10 : comme rang 4.
Rang 11 : comme rang 5.
Rang 12 : 1 m. end., 2 m. env., 1 m. end., 5 m. env., 1 m. end., 3 m. env., 1 m. end., 5 m. env., 1 m. end., 2 m. env., 1 m. end.
Rang 13 : 4 m. env., 4 m. end., ★1 m. env., 2 m. end.★ 2 fois, 1 m. env., 4 m. end., 4 m. env.
Rang 14 : comme rang 2.
Rang 15 : comme rang 3.
Rang 16 : 1 m. end., 2 m. env., 1 m. end., ★7 m. env., 1 m. end.★ 2 fois, 2 m. env., 1 m. end.
Rang 17 : 4 m. env., 6 m. end., 1 m. env., 1 m. end., 1 m. env., 6 m. end., 4 m. env.
Rang 18 : 1 m. end., 2 m. env., 1 m. end., 15 m. env., 1 m. end., 2 m. env., 1 m. end.
Rang 19 : comme rang 1.
Rang 20 : comme rang 18.
Rep. ces 20 rangs.

Oie sauvage

Motif de 18 m. sur fond de jersey.
Rang 1 (envers) : 18 m. env.
Rang 2 : 11 m. end., 1 m. env., 6 m. end.
Rang 3 : 7 m. env., 1 m. end., 10 m. env.
Rang 4 : 9 m. end., 1 m. env., 1 m. end., 1 m. env., 6 m. end.
Rang 5 : 7 m. env., 1 m. end., 1 m. env., 1 m. end., 8 m. env.
Rang 6 : 7 m. end., ★1 m. env., 1 m. end.★ 2 fois, 1 m. env., 6 m. end.
Rang 7 : 7 m. env., ★1 m. end., 1 m. env.★ 5 fois, 1 m. end.
Rang 8 : ★1 m. end., 1 m. env.★ 6 fois, 6 m. end.
Rang 9 : 5 m. env., ★1 m. end., 1 m. env.★ 5 fois, 1 m. end., 2 m. env.
Rang 10 : 3 m. end., ★1 m. env., 1 m. end.★ 5 fois, 1 m. env., 4 m. end.
Rang 11 : 3 m. env., ★1 m. end., 1 m. env.★ 5 fois, 1 m. end., 4 m. env.
Rang 12 : 5 m. end., ★1 m. env., 1 m. end.★ 5 fois, 1 m. env., 2 m. end.
Rang 13 : ★1 m. env., 1 m. end.★ 6 fois, 6 m. env.
Rang 14 : 7 m. end., ★1 m. env., 1 m. end.★ 5 fois, 1 m. end.
Rang 15 : 7 m. env., ★1 m. end., 1 m. env.★ 2 fois, 1 m. end., 6 m. env.
Rang 16 : 7 m. end., 1 m. env., 1 m. end., 1 m. env., 8 m. end.
Rang 17 : 9 m. env., 1 m. end., 1 m. env., 1 m. end., 6 m. env.
Rang 18 : 7 m. end., 1 m. env., 10 m. end.
Rang 19 : 11 m. env., 1 m. end., 6 m. env.
Rang 20 : comme rang 18.
Rep. ces 20 rangs.

Modèle 3 : coussins au point mousse et au point de riz

Ces deux coussins sont tricotés en pure laine vierge légèrement tweedée.
Le boutonnage, différent pour chacun, met en valeur la simplicité du style.

Pour chaque coussin

• Fournitures
5 pelotes de 50 g de laine Rowan Tweed (DK Tweed).
1 paire d'aiguilles n° 4.
6 boutons.
Ouate de rembourrage.

• Mesures
Environ 50 x 50 cm.

• Abréviations
Voir p. 158.

Coussin au point mousse

• Échantillon
10 x 10 cm = 20 m. et 40 rangs, aiguilles n° 4.

Dos
Avec les aiguilles n° 4, montez 101 m.
Rang 1 : à l'endroit.
Le point mousse se forme sur ce rang. Travaillez au point mousse jusqu'à une hauteur totale de 50 cm. Placez des marques aux 2 extrémités du dernier rang. Tricotez encore 5 cm au point mousse.
1er rang (boutonnières) : 14 m. end., *rab. 3 m., 11 m. end., y compris la m. utilisée pour rab.* 5 fois, rab. 3 m., finissez le rang à l'endroit.
2e rang (boutonnières) : 14 m. end., *montez 3 m., 11 m. end.* 5 fois, montez 3 m., finissez le rang à l'endroit.
Tricotez encore 3 cm au point mousse. Rabattez les m.

Devant
Avec les aiguilles n° 4, montez 101 m. Travaillez au point mousse, comme indiqué pour le dos, jusqu'à une hauteur totale de 50 cm. Rabattez.

Montage
Placez le bord (celui du montage des m.) du dos sur le bord (celui du montage des m.) du devant ainsi que le bord terminé du devant en alignement avec les marques placées sur le dos.
Cousez les 3 côtés.
Pliez le reste du dos sur le devant et cousez les boutons en face des boutonnières.
(Voir également l'atelier des finitions).

Coussin au point de riz

• Échantillon
10 x 10 cm = 21 m. et 36 rangs de point de riz, aiguilles n° 4.

Devant
Avec les aiguilles n° 4, montez 105 m.
Rang 1 : 1 m. end., *1 m. env., 1 m. end.*, tout le rang.
Le point de riz se forme sur ce rang. Travaillez au point de riz jusqu'à une hauteur totale de 50 cm.
1er rang (boutonnières) : 16 m. au point de riz., *rab. 3 m., 11 m. au point de riz, y compris la m. utilisée pour rab.* 5 fois, rab. 3 m., finissez le rang au point de riz.
2e rang (boutonnières) : 16 m. au point de riz, *montez 3 m., 11 m. point de riz* 5 fois, montez 3 m., finissez le rang au point de riz. Tricotez encore 3 cm au point de riz. Rabattez.

Dos
Avec les aiguilles n° 4, montez 105 m.
Rang 1 : 1 m. end., *1 m. env., 1 m. end.*, tout le rang.
Rep. ce rang jusqu'à une hauteur totale du dos de 53 cm. Rabattez.

Montage
Placez le bord (celui du montage des m.) du dos sur le bord (celui du montage des m.) du devant, cousez les 3 côtés, en laissant le bord des boutonnières libre.
Cousez les boutons sur le côté intérieur du dos en face des boutonnières du devant.
(Voir également l'atelier des finitions).

Modèle 4 : pull écru pour enfant

Ce pull est principalement tricoté au point jersey avec des dessins en relief sur l'empiècement et les épaules. Les côtes commencent ou finissent par quelques rangs de jersey destinés à s'enrouler.

• **Fournitures**

7 (8 ; 9) pelotes de 50 g de laine Rowan Designer (Designer DK Wool).
1 paire d'aiguilles n° 3,5.
1 paire d'aiguilles n° 4.

• **Mesures du vêtement**

Âge	3-4	4-6	6-8	ans
Tour de poitrine (pull)	81	86	96	cm
Longueur	42	48	53	cm
Longueur des manches	30	33	36	cm

• **Échantillon**

10 x 10 cm = 24 m. sur 32 rangs de jersey
(1 rang à l'endroit, 1 rang à l'envers), aiguilles n° 4.

• **Abréviations**

Voir p. 158.

Dos

Avec les aiguilles n° 3,5, montez 94 (102 ; 114) m.
Commencez par 1 rang à l'endroit, continuez par 6 rangs de jersey.
Rang 1, côtes (endroit) : 2 m. end., ★2 m. env., 2 m. end.★, tout le rang.
Rang 2, côtes : 2 m. env., ★2 m. end., 2 m. env.★, tout le rang.
Reprenez les 1er, 2e et 1er rangs de côtes.
Rang avec aug. : répartissez 3 (7 ; 7) augmentations sur ce rang de côtes.
Vous obtenez 97 (109 ; 121) m.
Prenez les aig. n° 4. Commencez par 1 rang à l'endroit ; tricotez en jersey jusqu'à une hauteur totale du dos de 23 (28 ; 33) cm, en finissant par 1 rang à l'endroit.

Travaillez le dessin de l'empiècement de la façon suivante :
Rang 1 : à l'endroit
Rangs 2 et 3 : à l'envers.
Rangs 4 et 5 : à l'endroit.
Rangs 6 et 7 : à l'envers.
Rang 8 : 3 m. end., ★1 m. env., 5 m. end.★ jusqu'aux 4 dernières m. : 1 m. env., 3 m. end.
Rang 9 : 2 m. env., ★1 m. end., 1 m. env., 1 m. end., 3 m. env.★ jusqu'aux 5 dernières m. : 1 m. end., 1 m. env., 1 m. end., 2 m. env.
Rang 10 : 1 m. end., ★1 m. env., 3 m. end., 1 m. env., 1 m. end.★, tout le rang.
Rang 11 : 1 m. end., ★5 m. env., 1 m. end.★, tout le rang.
Rang 12 : comme rang 10.
Rang 13 : comme rang 9.
Rang 14 : comme rang 8.
Rang 15 : à l'envers.
Rang 16 : à l'endroit.
Rangs 17 à 23 : comme rangs 1 à 7.
Rang 24 : à l'endroit.
Rangs 25 à 30 : 1 m. env., ★1 m. end., 1 m. env.★, tout le rang.
Rang 31 : à l'envers.
Rang 32 : à l'endroit.
Ces 32 rangs forment le dessin de l'empiècement. Rep. encore 1 fois.★★
Continuez au point mousse (tous les rangs à l'endroit) jusqu'à une hauteur de dos de 42 (48 ; 53) cm, en finissant par 1 rang à l'envers. Rabattez les m.
Posez des marques pour les épaules à la 29e (31e ; 36e) m. de chaque bord latéral.

Devant

Travaillez comme le dos jusqu'à ★★.
• Encolure
Rang suivant : 36 (38 ; 43) m. à l'endroit, tournez.
Travaillez au point mousse sur cette partie de m. seulement.
Faites 1 dim. (en tricotant 2 m. ens.) au bord de l'encolure sur les 7 rangs suivants. Vous obtenez 29 (31 ; 36) m. Continuez tout droit jusqu'à ce que le devant ait la même longueur que le dos. Terminez par 1 rang à l'envers.
Rabattez les m.
L'envers du tricot étant vers vous, glissez les 25 (27 ; 29) m. centrales sur un arrête-mailles, reliez le fil aux m. restantes et finissez à l'endroit. Continuez comme expliqué pour la première partie de l'encolure.

Manches

Avec les aiguilles n° 3, 5, montez 46 (46 ; 50) m. Commencez par 1 rang à l'endroit, puis 6 rangs au point jersey. Rep. 5 fois les 2 rangs de côtes, comme expliqué pour le dos, puis rep. le rang 1.

Rang avec aug. : 2 (2 ; 4) m. de côtes, 1 aug. dans la m. suivante, ★6 m. de côtes, 1 aug. dans la m. suivante★ jusqu'à la dernière m. : 1 (1 ; 3) m. en côtes. Vous obtenez 53 (53 ; 57) m.

Prenez les aiguilles n° 4.

Commencez par 1 rang à l'endroit. Tricotez 4 rangs de jersey.

Rang avec aug. : tricotez la 1re m. 2 fois, continuez à l'endroit, tricotez la dernière m. 2 fois. Faites 3 rangs de jersey. Rep. les 4 derniers rangs encore 8 (11 ; 12) fois, puis reprenez le rang avec aug. Vous obtenez 73 (79 ; 85) m. Faites 4 (6 ; 8) rangs tout droit.

Tricotez 1 fois les 32 rangs du dessin de l'empiècement, comme expliqué pour le dos, puis rep. du 1er au 16e rang. Rabattez souplement.

Col

Fermez l'épaule droite.

Avec les aiguilles n° 3,5, l'endroit vers vous, relevez et tricotez 16 (18 ; 18) m. sur le côté gauche de l'encolure du devant, tricotez les 25 (27 ; 29) m.

centrales, relevez et tricotez 15 (17 ; 17) m. sur le côté droit de l'encolure, ainsi que 38 (40 ; 42) m. entre les repères au milieu de l'encolure du dos. Tournez. Vous obtenez 94 (102 ; 106) m. Tricotez 1 rang à l'endroit, 2 rangs à l'envers. En commençant par le 1er rang, faites 12 rangs de côtes comme expliqué pour la bordure en côtes du dos. En commençant par 1 rang à l'endroit, faites 4 rangs de jersey. Rabattez souplement à l'endroit.

Montage

Cousez l'épaule gauche et le col en inversant la couture sur la partie en jersey. Marquez les bords latéraux du dos et du devant à 16 (17 ; 18) cm sous les épaules pour les emmanchures. Cousez le bord terminé des manches entre les repères.

Cousez les côtés et les manches en inversant la couture sur les 6 rangs de jersey de la bordure et des poignets.

(Voir également l'atelier des finitions).

CHAPITRE TROIS

L'atelier des points irlandais

ES TRICOTS à la texture sophistiquée font intervenir des combinaisons de torsades et de mouches, qui permettent de composer une très grande variété de motifs. Ne vous laissez pas dérouter par l'aspect compliqué des points irlandais car ils sont moins difficiles à réaliser qu'il n'y paraît. Avant de commencer un modèle, étudiez soigneusement chacune des techniques : cela vous aidera ensuite à mener à bien vos projets.

Traditionnellement, les pulls irlandais ont été conçus pour résister à l'usage et aux intempéries grâce à une texture dense obtenue par des dessins à torsades. Les motifs sont travaillés en panneaux verticaux auxquels on ajoute parfois des mouches en relief. J'ai adapté ces éléments classiques en leur donnant une touche contemporaine ou en combinant différents panneaux de torsades.

Le premier modèle est un simple pull d'enfant qui vous entraînera à travailler les torsades. Les points du jeté de canapé sont un peu plus difficiles à tricoter, mais vous n'aurez pas de forme à réaliser. Le troisième modèle est un manteau d'enfant comportant mailles torses et mouches en relief.

Torsades de base

Les torsades se font en croisant un groupe de mailles sur un autre. Le nombre de mailles croisées peut varier en fonction de la taille des torsades, et le nombre de rangs entre chaque croisement peut être différent d'un modèle à un autre. Une fois que vous maîtriserez la technique de base, vous serez capable de créer une multitude de variantes. Dans notre exemple, la bande de torsades est composée de 4 mailles au point jersey travaillées sur un fond de jersey envers.

Torsade à 4 m. croisées derrière (4 m. crois. der.)

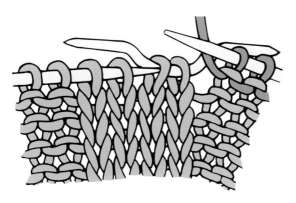

1 Sur l'endroit du travail, tricotez jusqu'à l'emplacement de la torsade, puis faites glisser les 2 mailles suivantes sur une aiguille auxiliaire.

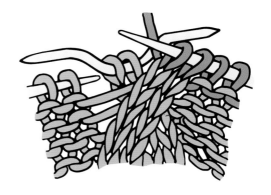

2 Placez l'aiguille auxiliaire portant les 2 mailles derrière le travail, tricotez à l'endroit les 2 mailles suivantes de l'aiguille gauche.

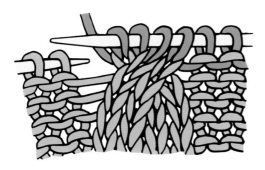

3 Tricotez à l'endroit les 2 mailles de l'aiguille auxiliaire pour confectionner une torsade croisée à droite.

CONSEIL :
LES TORSADES

Les torsades se tricotent à l'aide d'une petite aiguille à deux pointes appelée aiguille auxiliaire (photo ci-dessus). Certaines de ces aiguilles forment un angle au milieu, empêchant les mailles de tomber.
En général, on tricote les torsades sur un fond de jersey envers pour leur donner du relief, mais il y a des exceptions. Les mailles composant la torsade elle-même sont tricotées à l'endroit ou à l'envers.

Torsade à 4 m. croisées devant (4 m. crois. dev.)

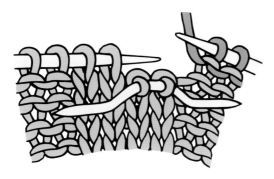

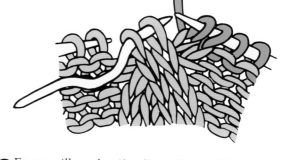

1 Sur l'endroit du travail, tricotez jusqu'à l'emplacement de la torsade, puis faites passer les 2 mailles suivantes sur l'aiguille auxiliaire, placée devant le travail.

2 En travaillant derrière l'aiguille auxiliaire, tricotez à l'endroit les 2 mailles suivantes de l'aiguille gauche.

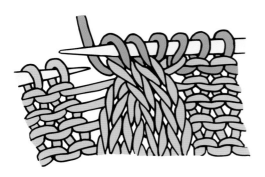

3 Tricotez à l'endroit les 2 mailles de l'aiguille auxiliaire pour former une torsade croisée à gauche.

À droite : *ce détail d'un pull à torsades simples (modèle 5, p. 58) montre nettement la différence entre les torsades croisées derrière (à droite) et celles croisées devant (à gauche). Sur les pulls irlandais à panneau central, les torsades sont souvent croisées derrière sur un côté et devant sur l'autre côté du panneau pour produire un agréable effet de symétrie.*

Mouvement de torsades

Au lieu de présenter un simple croisement des mailles, la torsade est ici composée de 2 mailles de jersey disposées en diagonale sur un fond de jersey envers.

Croiser 3 m. à droite (3 m. crois. droite)

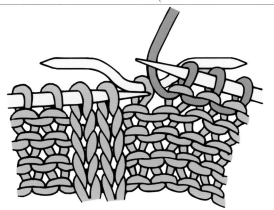

1 Travaillez jusqu'à la maille qui précède les 2 mailles à l'endroit. Glissez la maille suivante sur une aiguille auxiliaire, placée derrière le travail.

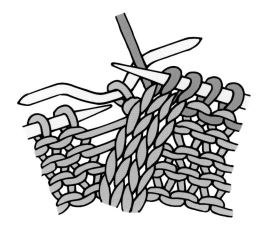

2 Tricotez les 2 mailles suivantes de l'aiguille gauche.

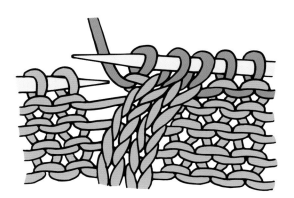

3 Tricotez maintenant à l'envers la maille de l'aiguille auxiliaire pour former une torsade se déplaçant vers la droite.

À droite : *assez facile à tricoter, cette torsade fait partie du modèle 7, un manteau d'enfant de style irlandais (voir p. 62). Les mailles torses donnent du relief aux points.*

Croiser 3 m. à gauche (3 m. crois. gauche)

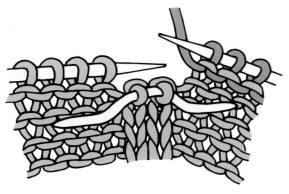 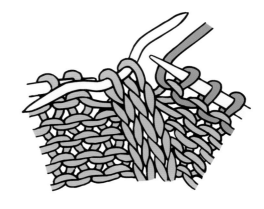

1 Tricotez jusqu'aux 2 mailles à l'endroit. Passez-les sur une aiguille auxiliaire et laissez-les devant le travail.

2 Tricotez à l'envers la maille suivante de l'aiguille gauche.

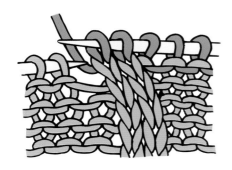

3 Tricotez à l'endroit les 2 mailles de l'aiguille auxiliaire pour former une bande se déplaçant vers la gauche.

À l'endroit ou à l'envers par derrière

Si l'on tricote une maille, à l'endroit ou à l'envers, en la prenant par derrière, elle se tord, ce qui la rend plus ferme et plus visible.

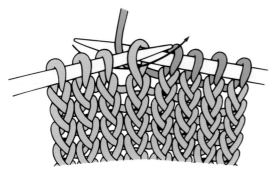 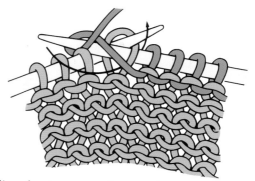

Au lieu de piquer par devant, piquez par derrière dans la boucle et tricotez 1 maille à l'endroit. Cela s'appelle : maille torse à l'endroit (m. torse end.).

Au lieu de piquer par devant, piquez par derrière dans la boucle et tricotez 1 maille à l'envers. Cela s'appelle : maille torse à l'envers (m. torse env.).

Tordre des mailles

Dans l'exemple présenté ici, les mailles sont tordues sur un fond de jersey envers :
elles sont passées les unes sur les autres sans l'aide d'une aiguille auxiliaire.

Tordre 2 m. derrière (tordre 2 m. der.)

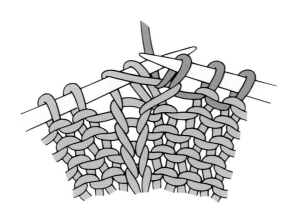
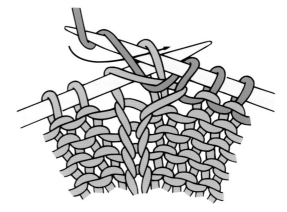

1 Tricotez jusqu'à la maille qui précède la maille à l'endroit. Passez la 1re maille sans la tricoter et tricotez la 2e (à l'endroit) à travers le devant de la boucle.

2 Sans faire tomber la maille tricotée de l'aiguille, passez le fil devant et tricotez la maille laissée, à l'envers, par le devant de la boucle ; laissez tomber les 2 mailles de l'aiguille gauche ensemble.

Tordre 2 m. devant (tordre 2 m. dev.)

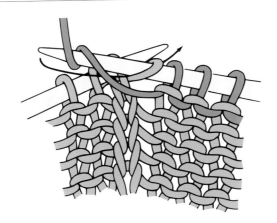
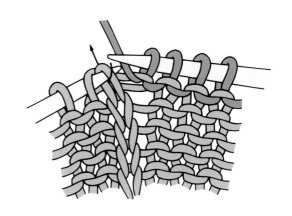

1 Tricotez jusqu'à la maille à l'endroit. Laissez la 1re maille (à l'endroit) sans la tricoter et tricotez à l'envers la 2e maille à travers l'arrière de la boucle, en travaillant derrière la 1re maille.

2 Sans faire tomber la maille tricotée de l'aiguille, placez le fil derrière et tricotez la maille laissée, à l'envers, par le devant de la boucle, puis faites tomber les 2 mailles de l'aiguille gauche ensemble.

Mouche à 4 mailles

Généralement, on confectionne les mouches en créant des mailles dans la même maille et en tournant les rangs sur ces mailles-là. Dans notre exemple, la mouche est tricotée en jersey endroit sur un fond de jersey envers. Vous pouvez faire varier la taille des mouches en jouant sur le nombre de mailles et de rangs ou créer des effets de couleur en réalisant des mouches contrastant avec le fond du tricot.

Faire une mouche (mouche)

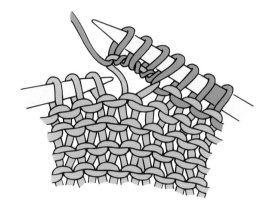

1 Sur l'endroit du travail, tricotez jusqu'à l'emplacement de la mouche. Faites ★1 m. end., 1 m. env.★ 2 fois dans la maille suivante. Laissez glisser la maille de l'aiguille gauche pour que les 4 nouvelles mailles se trouvent sur l'aiguille droite.

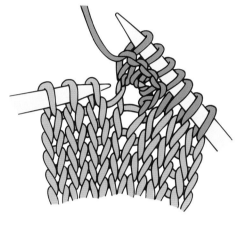

2 Tournez le travail, l'envers étant devant vous, et tricotez les 4 mailles de la mouche à l'envers, tournez encore et tricotez-les à l'endroit. Tournez à nouveau et tricotez-les à l'envers.
Vous avez obtenu 3 rangs de jersey sur les mailles de la mouche.

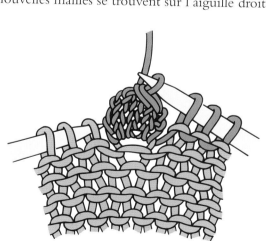

3 Tournez le travail, l'endroit en face de vous. Glissez les 2 premières mailles sur l'aiguille de droite et tricotez les 2 mailles suivantes ensemble, puis faites passer les 2 mailles glissées sur la 1re maille.

4 Il reste 1 maille et vous finissez le rang comme indiqué. Continuez votre tricot et la mouche cachera un petit trou éventuel.

La famille des points irlandais

Vous pouvez maintenant appliquer les techniques des torsades et des mouches avec le large éventail de motifs irlandais que vous trouverez dans cette famille de points (voir les abréviations p. 158). Réalisez quelques échantillons avec différentes grosseurs de laine pour juger du résultat.

Torsades simples à 2 mailles

Bandes de 2 m. end. sur fond de jersey envers.
Torsade 2 m. dev. (à gauche sur la photo).
Rang 1 (endroit) : 2 m. crois. dev.
Rang 2 : 2 m. env.
Rep. ces 2 rangs.
Torsade 2 m. der. (à droite sur la photo).
Rang 1 (endroit) : 2 m. crois. der.
Rang 2 : 2 m. env.
Rep. ces 2 rangs.

Torsades simples à 4 mailles

Bandes de 4 m. end. sur fond de jersey envers.
Torsade 4 m. crois. dev. (à gauche sur la photo).
Rang 1 (endroit) : 4 m. end.
Rangs 2 et 4 : 4 m. env.
Rang 3 : 4 m. crois. dev.
Rep. ces 4 rangs.
Torsade 4 mailles crois. der. (à droite sur la photo).
Travaillez comme indiqué pour la torsade 4 m. crois. dev., mais faites 4 m. crois. der.

Petite tresse

Bande de 4 m. end. sur fond de jersey envers.
Rang 1 (endroit) : 2 m. crois. der., 2 m. crois. dev.
Rang 2 : 4 m. env.
Rep. ces 2 rangs.

Torsade imbriquée

Bande de 8 m. sur fond de jersey envers.
Rang 1 (endroit) : 8 m. end.
Rang 2 : 8 m. env.
Rang 3 : 4 m. crois. der., 4 m. crois. dev.
Rang 4 : 8 m. env.
Rep. ces 4 rangs.

Petite torsade perlée

Bande de 4 m. sur fond de jersey envers.
Rang 1 (endroit) : 2 m. crois. der., 2 m. crois. dev.
Rang 2 : 4 m. env.
Rang 3 : 2 m. crois. dev., 2 m. crois. der.
Rang 4 : 4 m. env.
Rep. ces 4 rangs.

Point astrakan

Nombre de m. divisible par 4 + 2 m.
Rang 1 (endroit) : tout à l'envers.
Rang 2 : 1 m. end., ★(1 m. end., 1 m. env., 1 m. end.) dans la m. suiv.,
tricotez 3 m. ensemble à l'env. ; rep. à ★ jusqu'à la dernière m. : 1 m. end.
Rang 3 : tout à l'envers.
Rang 4 : 1 m. end., ★tricotez 3 m. ens. à l'env., (1 m. end., 1 m. env.,
1 m. end.) dans la m. suiv. ; rep. à ★ jusqu'à la dernière m. : 1 m. end.
Rep. ces 4 rangs.

Torsades montante et descendante

Bande de 9 m. sur fond de jersey envers.
Torsade montante (à gauche sur la photo).
Rang 1 (endroit) : 3 m. end., 6 m. crois. dev.
Rang 2 : 9 m. env.
Rang 3 : 6 m. crois. der., 3 m. end.
Rang 4 : 9 m. env.
Rep. ces 4 rangs.
Torsade descendante (à droite sur la photo). Travaillez comme indiqué
pour la torsade montante mais tricotez 6 m. crois. der. au lieu de 6 m. crois.
dev. et 6 m. crois. dev. au lieu de 6 m. crois. der.

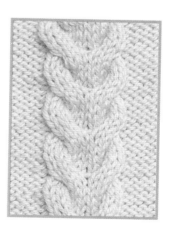

Torsade double

Bande de 12 m. sur fond de jersey envers.
Rang 1 (endroit) : 12 m. end.
Rang 2 : 12 m. env.
Rang 3 : 6 m. crois. der., 6 m. crois. dev.
Rang 4 : 12 m. env.
Rangs 5 et 6 : comme rangs 1 et 2.
Rep. ces 6 rangs.

Côtes à chevrons

Nombre de m. divisible par 12 + 3 m.

Rang 1 (endroit) : 3 m. end., ★2 m. env., 2 m. crois. droite, 1 m. end., 2 m. crois. gauche, 2 m. env., 3 m. end. ; rep. à ★, tout le rang.

Rang 2 : 3 m. env., ★2 m. end., 1 m. env., (1 m. end., 1 m. env.) 2 fois, 2 m. end., 3 m. env. ; rep. à ★, tout le rang.

Rang 3 : 3 m. end., ★1 m. env., 2 m. crois. droite, 1 m. env., 1 m. end., 1 m. env., 2 m. crois. gauche, 1 m. env., 3 m. end. ; rep. à ★, tout le rang.

Rang 4 : 3 m. env., ★1 m. end., 1 m. env., (2 m. end., 1 m. env.) 2 fois, 1 m. end., 3 m. env. ; rep. à ★, tout le rang.

Rang 5 : 3 m. end., ★ 2 m. crois. droite, 2 m. env., 1 m. end., 2 m. env., 2 m. crois. gauche, 3 m. end. ; rep. à ★, tout le rang.

Rang 6 : 3 m. env., ★4 m. end., 1 m. env., 4 m. end., 3 m. env. ; rep. à ★, tout le rang.

Rep. ces 6 rangs.

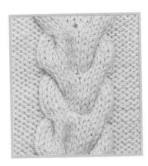

Grosse torsade double

Bande de 16 m. sur fond de jersey envers.

Rang 1 (endroit) : 16 m. end.

Rang 2 : 16 m. env.

Rang 3 : glissez les 4 m. suiv. sur une aig. aux. placée derrière, 4 m. end., puis tricotez à l'end. 4 m. de l'aig. aux., glissez les 4 m. suiv. sur l'aig. aux. placée devant, 4 m. end., puis tricotez à l'end. 4 m. de l'aig. aux.

Rang 4 : 16 m. env.

Rangs 5 à 8 : rep. rangs 1 et 2 deux fois.

Rep. ces 8 rangs.

Rayons de miel

Nombre de m. divisible par 8 + 2 m.

Rang 1 : 1 m. end., 2 m. env., ★4 m. end., 4 m. env.★ jusqu'aux 7 dernières m. : 4 m. end., 2 m. env., 1 m. end.

Rang 2 : 1 m. env., 2 m. end., ★4 m. env., 4 m. end.★ jusqu'aux 7 dernières m. : 4 m. env., 2 m. end., 1 m. env.

Rang 3 : 1 m. end., ★4 m. crois. der., 4 m. crois. dev.★ jusqu'à la dernière m. : 1 m. end.

Rangs 4 et 6 : 3 m. env., ★4 m. end., 4 m. env.★ jusqu'aux 7 dernières m. : 4 m. end., 3 m. env.

Rang 5 : 3 m. end., ★4 m. env., 4 m. end.★ jusqu'aux 7 dernières m. : 4 m. env., 3 m. end.

Rang 7 : 1 m. end., ★4 m. crois. dev., 4 m. crois. der.★ jusqu'à la dernière m. : 1 m. end.

Rang 8 : comme rang 2.

Rep. ces 8 rangs.

Bulles et vagues

Panneau de 26 m. sur fond de jersey envers.

Abréviation : mouche = faire une mouche de 3 m. : tricotez 3 m. end. dans la m. suiv. en la prenant alternativement par devant, par derrière et par devant (tournez et tricotez 3 m. end.) 3 fois, tournez, 1 m. glissée, 2 m. ens. end., passez la m. glissée sur les 2 m. ens. Laissez la mouche sur l'endroit du travail.

Rang 1 (endroit) : 2 m. env., 3 m. crois. droite, 5 m. env., 6 m. crois. der., 5 m. env., 3 m. crois. gauche, 2 m. env.

Rang 2 : 2 m. end., 2 m. env., 6 m. end., 6 m. env., 6 m. end., 2 m. env., 2 m. end.

Rang 3 : 1 m. env., 3 m. crois. droite, 4 m. env., 5 m. crois. droite, 5 m. crois. gauche, 4 m. env., 3 m. crois. gauche, 1 m. env.

Rang 4 : 1 m. env., 2 m. env., 5 m. end., 3 m. env., 4 m. end., 3 m. env., 5 m. end., 2 m. env., 1m. end.

Rang 5 : 3 m. crois. droite, 3 m. env., 5 m. crois. droite, 4 m. env., 5 m. crois. gauche, 3 m. env., 3 m. crois. gauche.

Rang 6 : 2 m. env., 1 m. end., mouche, 2 m. end., 3 m. env., 8 m. end., 3 m. env., 2 m. end., mouche, 1 m. end., 2 m. env.

Rang 7 : 3 m. crois. gauche, 3 m. env., 3 m. end., 8 m. env., 3 m. end., 3 m. env., 3 m. crois. droite.

Rang 8 : 1 m. end., 2 m. env., 3 m. end., 3 m. env., 8 m. end., 3 m. env., 3 m. end., 2 m. env., 1 m. end.

Rang 9 : 1 m. env., 3 m. crois. gauche, 2 m. env., 5 m. crois. gauche, 4 m. env., 5 m. crois. droite, 2 m. env., 3 m. crois. droite, 1 m. env.

Rang 10 : 2 m. end., 2 m. env., ★4 m. end., 3 m. env.★ 2 fois, 4 m. end., 2 m. env., 2 m. end.

Rang 11 : 2 m. env., 3 m. crois. gauche, 3 m. env., 5 m. crois. gauche, 5 m. crois. droite, 3 m. env., 3 m. crois. droite, 2 m. env.

Rang 11 : 2 m. env., 3 m. crois. gauche, 3 m. env., 5 m. crois. gauche, 5 m. crois. droite, 3 m. env., 3 m. crois. droite, 2 m. env.

Rang 12 : 1 m. end., mouche, 1 m. end., 2 m. env., 5 m. end., 6 m. env., 5 m. end., 2 m. env., 1 m. end., mouche, 1 m. end.

Rep. ces 12 rangs.

Torsade Oxford

Bande de 8 m. sur fond de jersey envers.

Rang 1 (endroit) : 8 m. end.

Rang 2 : 8 m. env.

Rang 3 : 4 m. crois. der., 4 m. crois. dev.

Rang 4 : 8 m. env.

Rangs 5 à 10 : rep. ces 4 rangs 1 fois, puis rep. rangs 1 et 2.

Rang 11 : 4 m. crois. dev., 4 m. crois. der.

Rang 12 : 8 m. env.

Rangs 13 et 14 : comme rangs 1 et 2.

Rangs 15 et 16 : comme rangs 11 et 12.

Rep. ces 16 rangs.

Côte torsadée

Bande de 7 m. sur fond de jersey envers.

Rang 1 (endroit) : 1 m. end., *1 m. env., 1 m. end.* 3 fois.

Rang 2 : 1 m. torse env., *1 m. end., 1 m. torse env.* 3 fois.

Rang 3 : glissez les 4 m. suiv. sur l'aig. aux. placée derrière, 1 m. end., 1 m. env., 1 m. end., puis tricotez les m. de l'aig. aux. : *1 m. env., 1 m. end.* 2 fois.

Rang 4 : comme rang 2.

Rangs 5 et 6 : comme rangs 1 et 2.

Rangs 7 et 8 : comme rangs 1 et 2.

Rangs 9 et 10 : comme rangs 1 et 2.

Rep. ces 10 rangs.

Zigzag et mouches

Bande de 6 m. sur fond de jersey envers.

Abréviation : mouche = faire une mouche de 4 m. de la façon suivante : *1 m. end., 1 m. env.* 2 fois, toutes dans la m. suiv., tournez, 4 m. env., tournez et glissez 2 m., 2 m. ens. à l'end., passez les 2 m. glissées sur les 2 m. ens.

Rang 1 (endroit) : 1 m. env., mouche, 1 m. env., 3 m. crois. droite.

Rang 2 : 1 m. end., 2 m. env., 3 m. end.

Rang 3 : 2 m. env., 3 m. crois. droite, 1 m. env.

Rang 4 : 2 m. end., 2 m. env., 2 m. end.

Rang 5 : 1 m. env., 3 m. crois. droite, 2 m. env.

Rang 6 : 3 m. end., 2 m. env., 1 m. end.

Rang 7 : 3 m. crois. droite, 3 m. env.

Rang 8 : 4 m. end., 2 m. env.

Rang 9 : 3 m. crois. gauche, 1 m. env., mouche, 1 m. env.

Rang 10 : 3 m. end., 2 m. env., 1 m. end.

Rang 11 : 1 m. env., 3 m. crois. gauche, 2 m. env.

Rang 12 : 2 m. end., 2 m. env., 2 m. end.

Rang 13 : 2 m. env., 3 m. crois. gauche, 1 m. env.

Rang 14 : 1 m. end., 2 m. env., 3 m. end.

Rang 15 : 3 m. env., 3 m. crois. gauche.

Rang 16 : 2 m. env., 4 m. end.

Rep. ces 16 rangs.

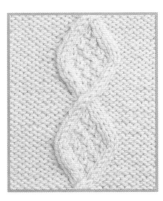

Bande de losanges

Bande de 11 m. sur fond de jersey envers.

Rang 1 (endroit) : 2 m. env., 3 m. crois. der., 1 m. env., 3 m. crois. dev., 2 m. env.

Rang 2 : 2 m. end., 3 m. env., 1 m. end., 3 m. env., 2 m. end.

Rang 3 : 1 m. env., 3 m. crois. der., 1 m. env., 1 m. end., 1 m. env., 3 m. crois. dev., 1 m. env.

Rang 4 : 1 m. end., 3 m. env., 1m. end., 1 m. env., 1 m. end., 3 m. env., 1 m. end.

Rang 5 : 3 m. crois. der., 1 m. env., *1m. end., 1 m. env.* 2 fois, 3 m. crois. dev.

Rang 6 : 3 m. env., 1 m. end., *1 m. env., 1 m. end.* 2 fois, 3 m. env.

Rang 7 : 2 m. end., 1 m. env., *1 m. end., 1 m. env.* 3 fois, 2 m. end.

Rang 8 : 2 m. env., 1 m. end., *1 m. env., 1 m. end.* 3 fois, 2 m. env.

Rang 9 : 3 m. crois. gauche, 1 m. env., *1 m. end., 1 m. env.* 2 fois, 3 m. crois. droite.

Rang 10 : 1 m. end., 2 m. env., 1 m. end., *1m. env., 1 m. end.* 2 fois, 2 m. env., 1 m. end.

Rang 11 : 1 m. env., 3 m. crois. gauche, 1 m. env., 1 m. end., 1 m. env., 3 m. crois. droite, 1 m. env.

Rang 12 : 2 m. end., 2 m. env., 1 m. end., 1 m. env., 1 m. end., 2 m. env., 2 m. end.

Rang 13 : 2 m. env., 3 m. crois. gauche, 1 m. env., 3 m. crois. droite, 2 m. env.

Rang 14 : 3 m. end., 2 m. env., 1 m. end., 2 m. env., 3 m. end.

Rang 15 : 3 m. env., glissez les 3 m. suivantes sur l'aig. aux. placée derrière, 2 m. end., puis tricotez à l'end. les 3 m. de l'aig. aux., 3 m. env.

Rang 16 : 3 m. end., 5 m. env., 3 m. end.

Rep. ces 16 rangs.

Cerises

Bande de 11 m. sur fond de jersey envers.

Abréviation : mouche = faire une mouche de 4 m. de la façon suivante : *1 m. end., 1 m. env.* 2 fois, toutes dans la m. suiv., tournez, 4 m. env., tournez, 4 m. end., tournez, 4 m. env., tournez et glissez 2 m., 2 m. ens. end., passez les 2 m. glissées sur les 2 m. ens.

Rang 1 (endroit) : 11 m. env.

Rang 2 : 11 m. end.

Rang 3 : 5 m. env., mouche, 5 m. env.

Rang 4 : 5 m. end., 1 m. torse env., 5 m. end.

Rang 5 : 2 m. env., mouche, 2 m. env., 1 m. torse end., 2 m. env., mouche, 2 m. env.

Rang 6 : 2 m. end., *1 m. torse env., 2 m. end.* 3 fois.

Rang 7 : mouche, 1 m. env., tord. 2 m. à gauche, 1 m. env., 1 m. torse end., 1 m. env., tord. 2 m. à droite, 1 m. env., mouche.

Rang 8 : 1 m. torse env., 2 m. end., 1 m. torse env., *1 m. end., 1 m. torse env.* 2 fois, 2 m. end., 1 m. torse env.

Rang 9 : tord. 2 m. à gauche, 1 m. env., tord. 2 m. à gauche, 1 m. torse end., tord. 2 m. à droite, 1 m. env., tord. 2 m. à droite.

Rang 10 : 1 m. end., glissez la m. suiv. sur l'aig. aux. placée derrière, 1 m. end., puis tricotez torse env. la m. de l'aig. aux., 1 m. end., *1 m. torse env.* 3 fois, 1 m. end., glissez la m. suiv. sur l'aig. aux. placée devant, 1 m. torse env., puis tricotez à l'end. la m. de l'aig. aux., 1 m. end.

Rang 11 : 2 m. env., tord. 2 m. à gauche, ajoutez 1 m., glissez 1 m., tricotez 2 m. ens., passez la m. glissée par-dessus, ajoutez 1 m., tord. 2 m. à droite, 2 m. env.

Rang 12 : 3 m. end., glissez la m. suiv. sur l'aig. aux. placée derrière, 1 m. end., puis tricotez torse env. la m. de l'aig. aux., 1 m. torse env., glissez la m. suiv. sur l'aig. aux. placée devant, 1 m. torse env., puis tricotez à l'end. la m. de l'aig. aux., 3 m. end.

Rang 13 : 4 m. env., ajoutez 1 m., glissez 1 m., tricotez 2 m. ens., passez la m. glissée par-dessus, ajoutez 1 m., 4 m. env.

Rang 14 : 5 m. end., 1 m. torse env., 5 m. end.

Rang 15 : 11 m. env.

Rang 16 : 11 m. end.

Rep. ces 16 rangs.

Coupes

Bande de 17 m. sur fond de jersey envers.

Rang 1 (endroit) : 2 m. end., 4 m. env., 2 m. end., 1 m. env., 2 m. end., 4 m. env., 2 m. end.

Rang 2 : 6 m. end., 2 m. env., 1 m. end., 2 m. env., 6 m. end.

Rang 3 : 6 m. env., glissez les 3 m. suiv. sur l'aig. aux. placée derrière, 2 m. end., tricotez les m. de l'aig. aux. : 1 m. env., 2 m. end., puis 6 m. env.

Rang 4 : comme rang 2.

Rang 5 : 5 m. env., 3 m. crois. droite, 1 m. end., 3 m. crois. gauche, 5 m. env.

Rang 6 : 5 m. end., 2 m. env., 1 m. end., 1 m. env., 1 m. end., 2 m. env., 5 m. end.

Rang 7 : 4 m. env., 3 m. crois. droite, 1 m. end., 1 m. env., 1 m. end., 3 m. crois. gauche, 4 m. env.

Rang 8 : 4 m. end., 2 m. env., 1 m. end., *1 m. env., 1 m. end.* 2 fois, 2 m. env., 4 m. end.

Rang 9 : 3 m. env., 3 m. crois. droite, 1 m. end., *1 m. env., 1 m. end.* 2 fois, 3 m. crois. gauche, 3 m. env.

Rang 10 : 3 m. end., 2 m. env., 1 m. end., ★1 m. env., 1 m. end.★ 3 fois, 2 m. env., 3 m. end.

Rang 11 : 2 m. env., 3 m. crois. droite, 1 m. end., ★1 m. env., 1 m. end.★ 3 fois, 3 m. crois. gauche, 2 m. env.

Rang 12 : 2 m. end., 2 m. env., 1 m. end., ★1 m. env., 1 m. end.★ 4 fois, 2 m. env., 2 m. end.

Rang 13 : 1 m. env., 3 m. crois. droite, 1 m. end., ★1 m. env., 1 m. end.★ 4 fois, 3 m. crois. gauche, 1 m. env.

Rang 14 : 1 m. end., 2 m. env., 1 m. end., ★1 m. env., 1 m. end.★ 5 fois, 2 m. env., 1 m. end.

Rang 15 : 3 m. crois. droite, 1 m. end., ★1 m. env., 1 m. end.★ 5 fois, 3 m. crois. gauche.

Rang 16 : 2 m. env., 1 m. end., ★1 m. env., 1 m. end.★ 6 fois, 2 m. env. Rep. ces 16 rangs.

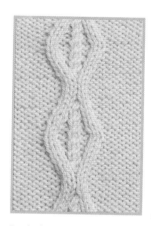

Grosse et petite torsade

Bande de 12 m. sur fond de jersey envers.

Rang 1 (endroit) : 3 m. env., 3 m. crois. der., 3 m. crois. dev., 3 m. env.

Rang 2 : 3 m. end., 6 m. env., 3 m. end.

Rang 3 : 2 m. env., 3 m. crois. droite, 2 m. crois. der., 3 m. crois. gauche, 2 m. env.

Rang 4 : 2 m. end., 2 m. env., ★1 m. end., 2 m. env.★ 2 fois, 2 m. end.

Rang 5 : 1 m. env., 3 m. crois. droite, 1 m. env., 2 m. crois. der., 1 m. env., 3 m. crois. gauche, 1 m. env.

Rang 6 : 1 m. end., 2 m. env., ★2 m. end., 2 m. env.★ 2 fois, 1 m. end.

Rang 7 : 3 m. crois. droite, 2 m. env., 2 m. crois. der., 2 m. env., 3 m. crois. gauche.

Rang 8 : 2 m. env., ★3 m. end., 2 m. env.★ 2 fois.

Rang 9 : 3 m. crois. gauche, 2 m. env., 2 m. crois. der., 2 m. env., 3 m. crois. droite.

Rang 10 : comme rang 6.

Rang 11 : 1 m. env., 3 m. crois. gauche, 1 m. env., 2 m. crois. der., 1 m. env., 3 m. crois. droite, 1 m. env.

Rang 12 : comme rang 4.

Rang 13 : 2 m. env., 3 m. crois. gauche, 2 m. crois. der., 3 m. crois. droite, 2 m. env.

Rang 14 : 3 m. end., 6 m. env., 3 m. end.

Rang 15 : 3 m. env., 3 m. crois. gauche, 3 m. crois. droite, 3 m. env.

Rang 16 : 4 m. end., 4 m. env., 4 m. end.

Rang 17 : 4 m. env., 4 m. end., 4 m. env.

Rang 18 : comme rang 16. Rep. ces 18 rangs.

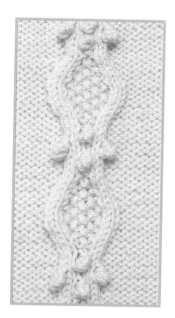

Chêne creux

Bande de 11 m. sur fond de jersey envers.

Abréviation : mouche = faire une mouche de 6 m. de la façon suivante : ★1 m. end., 1 m. env.★ 3 fois dans la m. suivante, faites passer la 2ᵉ, puis la 3ᵉ, la 4ᵉ, la 5ᵉ et la 6ᵉ m. sur la 1ʳᵉ m.

Rang 1 (endroit) : 3 m. env., 2 m. end., mouche, 2 m. end., 3 m. env.

Rang 2 : 3 m. end., 5 m. env., 3 m. end.

Rang 3 : 3 m. env., mouche, 3 m. end., mouche, 3 m. env.

Rang 4 : comme rang 2.

Rangs 5 et 6 : comme rangs 1 et 2.

Rang 7 : 2 m. env., 3 m. crois. der., 1 m. env., 3 m. crois. dev., 2 m. env.

Rang 8 : 2 m. end., 2 m. env., 1 m. end., 1 m. env., 1 m. end., 2 m. env., 2 m. end.

Rang 9 : 1 m. env., 3 m. crois. droite, 1 m. end., 1 m. env., 1 m. end., 3 m. crois. gauche, 1 m. env.

Rang 10 : 1 m. end., 3 m. env., 1 m. end., 1 m. env., 1 m. end., 3 m. env., 1 m. end.

Rang 11 : 3 m. crois. der., 1 m. env., ★1 m. end., 1 m. env.★ 2 fois, 3 m. crois. dev.

Rang 12 : 2 m. env., 1 m. end., ★1 m. env., 1 m. end.★ 3 fois, 2 m. env.

Rang 13 : 3 m. end., 1 m. env., ★1 m. end., 1 m. env.★ 2 fois, 3 m. end.

Rang 14 : comme rang 12.

Rang 15 : 3 m. crois. gauche, 1 m. env., ★1 m. end., 1 m. env.★ 2 fois, 3 m. crois. droite.

Rang 16 : comme rang 10.

Rang 17 : 1 m. env., 3 m. crois. gauche, 1 m. end., 1 m. env., 1 m. end., 3 m. crois. droite, 1 m. env.

Rang 18 : comme rang 8.

Rang 19 : 2 m. env., 3 m. crois. gauche, 1 m. env., 3 m. crois. droite, 2 m. env.

Rang 20 : 3 m. end., 5 m. env., 3 m. end. Rep. ces 20 rangs.

Cœurs entrelacés

Bande de 15 m. sur fond de jersey envers.

Note : en raison de la particularité de ce motif, le nombre de mailles de la bande n'est pas toujours constant.

Rang 1 (endroit) : 3 m. env., 2 m. crois. droite, *1 m. end., 1 m. env.* 2 fois, 1 m. end., 2 m. crois. gauche, 3 m. env.

Rang 2 : 3 m. end., 2 m. env., *1 m. end., 1 m. env.* 2 fois, 1 m. end., 2 m. env., 3 m. end.

Rang 3 : 2 m. env., 2 m. crois. der., *1 m. env., 1 m. end.* 3 fois, 1 m. env., 2 m. crois. dev., 2 m. env.

Rang 4 : 2 m. end., *1 m. env., 1 m. end.* 5 fois, 1 m. env., 2 m. end.

Rang 5 : 1 m. env., 2 m. crois. droite, *1 m. end., 1 m. env.* 2 fois, tricotez la m. suiv. par devant, par derrière et par devant, (1 m. env., 1 m. end.) 2 fois, 2 m. crois. gauche, 1 m. env. Soit 17 m.

Rang 6 : 1 m. end., 2 m. env., 1 m. end., 1 m. env., 1 m. end., 5 m. env., 1 m. end., 1 m. env., 1 m. end., 2 m. env., 1 m. end.

Rang 7 : 2 m. crois. der., *1 m. env., 1 m. end.* 2 fois, 1 m. env., ajoutez 1 m., 3 m. end., ajoutez 1 m., (1 m. env., 1 m. end.) 2 fois, 1 m. env., 2 m. crois. dev. Soit 19 m.

Rang 8 : *1 m. env., 1 m. end.* 3 fois, 7 m. env., (1 m. end., 1 m. env.) 3 fois.

Rang 9 : 1 m. torse end., *1 m. end., 1 m. env.* 3 fois, ajoutez 1 m., 5 m. end., ajoutez 1 m., (1 m. env., 1 m. end.) 3 fois, 1 m. torse end. Soit 21 m.

Rang 10 : *1 m. env., 1 m. end.* 3 fois, 9 m. env., (1 m. end., 1 m. env.) 3 fois.

Rang 11 : 1 m. torse end., *1 m. end., 1 m. env.* 3 fois, 2 m. end., glissez 1 m., tricotez 2 m. ens., passez la m. glissée par-dessus, 2 m. end., (1 m. env., 1 m. end.) 3 fois, 1 m. torse end. Soit 19 m.

Rang 12 : comme rang 8.

Rang 13 : 1 m. torse end., *1 m. end., 1 m. env.* 3 fois, 1 m. end., glissez 1 m., tricotez 2 m. ens., passez la m. glissée par-dessus, 1 m. end., (1 m. env., 1 m. end.) 3 fois, 1 m. torse end. Soit 17 m.

Rang 14 : *1 m. env., 1 m. end.* 3 fois, 5 m. env., (1 m. end., 1 m. env.) 3 fois.

Rang 15 : 1 m. torse end., *1 m. end., 1 m. env.* 3 fois ; fil der., glissez 1 m., tricotez 2 m. ens., passez la m. glissée par-dessus, (1 m. env., 1 m. end.) 3 fois, 1 m. torse end. Soit 15 m.

Rang 16 : *1 m. env., 1 m. end.* 3 fois, 3 m. env., (1 m. end., 1 m. env.) 3 fois.

Rang 17 : 2 m. crois. gauche, 1 m. env., 1 m. end., 1 m. env., 2 m. crois. droite, 1 m. end., 2 m. crois. gauche, 1 m. env., 1 m. end., 2 m. crois. droite.

Rang 18 : 1 m. end., 2 m. env., *1 m. end., 3 m. env.* 2 fois, 1 m. end., 2 m. env., 1 m. end.

Rang 19 : 1 m. env., 2 m. crois. gauche, 1 m. end., 2 m. crois. der., 1 m. env., 1 m. end., 1 m. env., 2 m. crois. dev., 1 m. end., 2 m. crois. droite, 1 m. env.

Rang 20 : 4 m. end., *1 m. env., 1 m. end.* 3 fois, 1 m. env., 4 m. end.

Rep. ces 20 rangs.

Zigzag de croisillons

Bande de 12 m. sur fond de jersey envers.

Rang 1 (endroit) : *1 m. end., 1 m. env.* 4 fois, 4 m. crois. droite.

Rang 2 : 1 m. end., 3 m. env., *1 m. end., 1 m. env.* 4 fois.

Rang 3 : *1 m. end., 1 m. env.* 3 fois, 4 m. crois. droite, 2 m. crois. gauche.

Rang 4 : 1 m. env., 2 m. end., 3 m. env., *1 m. end., 1 m. env.* 3 fois.

Rang 5 : *1 m. end., 1 m. env.* 2 fois, 4 m. crois. droite, 2 m. crois. gauche, 2 m. crois. droite.

Rang 6 : 1 m. end., glissez la m. suiv. sur l'aig. aux. placée derrière, 1 m. env., puis tricotez à l'env. la m. de l'aig. aux., 2 m. end., 3 m. env., *1 m. end., 1 m. env.* 2 fois.

Rang 7 : 1 m. end., 1 m. env., 4 m. crois. droite, 2 m. crois. gauche, 2 m. crois. droite, 2 m. crois. gauche.

Rang 8 : 1 m. env., 2 m. end., glissez la m. suivante sur l'aig. aux. placée devant, 1 m. env., puis tricotez à l'env. la m. de l'aig. aux., 2 m. end., 3 m. env., 1 m. end., 1 m. env.

Rang 9 : 4 m. crois. droite, *2 m. crois. gauche, 2 m. crois. droite* 2 fois.

Rang 10 : 1 m. end., glissez la m. suiv. sur l'aig. aux. placée derrière, 1 m. env., puis tricotez à l'env. la m. de l'aig. aux., 2 m. end., glissez la m. suiv. sur l'aig. aux. placée derrière, 1 m. env., puis tricotez à l'env. la m. de l'aig. aux., 3 m. end., 2 m. env.

Rang 11 : 4 m. crois. gauche, *2 m. crois. droite, 2 m. crois. gauche* 2 fois.

Rang 12 : comme rang 8.

Rang 13 : 1 m. end., 1 m. env., 4 m. crois. gauche, 2 m. crois. droite, 2 m. crois. gauche, 2 m. crois. droite.

Rang 14 : comme rang 6.

Rang 15 : *1 m. end., 1 m. env.* 2 fois, 4 m. crois. gauche, 2 m. crois. droite, 2 m. crois. gauche.

Rang 16 : comme rang 4.

Rang 17 : *1 m. end., 1 m. env.* 3 fois, 4 m. crois. gauche, 2 m. crois. droite.

Rang 18 : comme rang 2.

Rang 19 : *1 m. end., 1 m. env.* 4 fois, 4 m. crois. gauche.

Rang 20 : 2 m. env., *1 m. end., 1 m. env.* 5 fois.

Rep. ces 20 rangs.

Treillage avec mouches

Nombre de m. divisible par 16 + 5 m.

Abréviation : mouche = faire une mouche de 4 m. de la façon suivante :
★1 m. end., 1 m. env.★ 2 fois dans la m. suivante, (tournez, 4 m. env.,
tournez, 4 m. end.) 2 fois, tournez, 4 m. env., tournez, glissez 2 m., tricotez
2 m. ens., passez les 2 m. glissées par-dessus.

Rang 1 (endroit) : 6 m. env., (2 m. crois. droite) 2 fois, 1 m. env., (2 m.
crois. gauche) 2 fois, ★7 m. env., (2 m. crois. droite) 2 fois, 1 m. env. (2 m.
crois. gauche) 2 fois ; rep. à ★ jusqu'aux 6 dernières m. : 6 m. env.

Rang 2 : 6 m. end., 1 m. torse env., 1 m. end., 1 m. torse env., 3 m. end.,
1 m. torse env., 1 m. end., 1 m. torse env., ★7 m. end., 1 m. torse env., 1 m.
end., 1 m. torse env., 3 m. end., 1 m. torse env., 1 m. end., 1 m. torse env. ;
rep. à ★ jusqu'aux 6 dernières m. : 6 m. end.

Rang 3 : 5 m. env., ★(2 m. crois. droite) 2 fois, 3 m. end., (2 m. crois.
gauche) 2 fois, 5 m. env. ; rep. à ★, tout le rang.

Rang 4 : 5 m. end., ★1 m. torse env.,1 m. end., 1 m. torse env., 5 m. end. ;
rep. à ★, tout le rang.

Rang 5 : 4 m. env., ★(2 m. crois. droite) 2 fois, 5 m. end., (2 m. crois.
gauche) 2 fois, 3 m. env. ; rep. à ★ jusqu'à la dernière m. : 1 m. env.

Rang 6 : 4 m. end., ★1 m. torse env., 1 m. end., 1 m. torse env., 7 m. end.,
1 m. torse env., 1 m. end., 1 m. torse env., 3 m. end. ; rep. à ★ jusqu'à la
dernière m. : 1 m. end.

Rang 7 : 3 m. env., ★(2 m. crois. droite) 2 fois, 7 m. end., (2 m. crois.
gauche) 2 fois, 1 m. env. ; rep. à ★ jusqu'aux 2 dernières m. : 2 m. env.

Rang 8 : 3 m. end., 1 m. torse env., 1 m. end., 1 m. torse env., 9 m. end.,
★(1 m. torse env., 1 m. end.) 3 fois, 1 m. torse env., 9 m. end. ; rep. à ★
jusqu'aux 6 dernières m. : 1 m. torse env., 1 m. end., 1 m. torse env.,
3 m. end.

Rang 9 : 2 m. env., mouche, ★1 m. end., 1 m. env., 1 m. end., 9 m. env.,
1 m. end., 1 m. env., 1 m. end., mouche ; rep. à ★ jusqu'aux 2 dernières m. :
2 m. env.

Rang 10 : comme rang 8.

Rang 11 : 3 m. env., ★(2 m. crois. gauche) 2·fois, 7 m. env., (2 m. crois.
droite) 2 fois, 1 m. env. ; rep. à ★ jusqu'aux 2 dernières m. : 2 m. env.

Rang 12 : comme rang 6.

Rang 13 : 4 m. env., ★(2 m. crois. gauche) 2 fois, 5 m. env., (2 m. crois.
droite) 2 fois, 3 m. env. ; rep. à ★ jusqu'à la dernière m. : 1 m. env.

Rang 14 : comme rang 4.

Rang 15 : 5 m. env., ★(2 m. crois. gauche) 2 fois, 3 m. env., (2 m. crois.
droite) 2 fois, 5 m. env. ; rep. à ★, tout le rang.

Rang 16 : comme rang 2.

Rang 17 : 6 m. env., (2 m. crois. gauche) 2 fois, 1 m. env., (2 m. crois.
droite) 2 fois, ★7 m. env., (2 m. crois. gauche) 2 fois, 1 m. env., (2 m. crois.
droite) 2 fois ; rep. à ★ jusqu'aux 6 dernières m. : 6 m. env.

Rang 18 : 7 m. end., 1 m. torse env., (1 m. end., 1 m. torse env.) 3 fois,
★9 m. end., 1 m. torse env., (1 m. end., 1 m. torse env.) 3 fois ; rep. à ★
jusqu'aux 7 dernières m. : 7 m. end.

Rang 19 : 7 m. env., 1 m. end., 1 m. env., 1 m. end., mouche, 1 m. end.,
1 m. env., 1 m. end., ★9 m. end., 1 m. env., 1 m. end., 1 m. end., mouche,
1 m. end., 1 m. env., 1 m. end. ; rep. à ★ jusqu'aux 7 dernières m. : 7 m. env.

Rang 20 : comme rang 18.

Rep. ces 20 rangs.

Triple torsade

Bande de 26 m. sur fond de jersey envers.

Rang 1 (endroit) : 6 m. end., ★4 m. env., 6 m. end.★ 2 fois.

Rang 2 : 6 m. env., ★4 m. end., 6 m. env.★ 2 fois.

Rang 3 : 6 m. crois. der.,★4 m. env., 6 m. crois. der.★ 2 fois.

Rang 4 : comme rang 2.

Rangs 5 à 8 : comme rangs 1 à 4.

Rang 9 : 3 m. end., 5 m. crois. gauche, 2 m. env., 6 m. end., 2 m. env., 5 m.
crois. droite, 3 m. end.

Rang 10 : ★3 m. env., 2 m. end.★ 2 fois, 6 m. env., (2 m. end., 3 m. env.) 2 fois.

Rang 11 : ★5 m. crois. gauche★ 2 fois, 6 m. end., (5 m. crois. droite) 2 fois.

Rang 12 : 2 m. end., 3 m. env., 2 m. end., 12 m. env., 2 m. end., 3 m. env.,
2 m. end.

Rang 13 : 2 m. env., 5 m. crois. gauche, ★ 6 m. crois. dev.★ 2 fois, 5 m.
crois. droite, 2 m. env.

Rang 14 : 4 m. end., 18 m. env., 4 m. end.

Rang 15 : 4 m. env., ★6 m. crois. der.★ 3 fois, 4 m. env.

Rang 16 : comme rang 14.

Rang 17 : 2 m. env., 5 m. crois. droite, ★ 6 m. crois. dev.★ 2 fois, 5 m. crois.
gauche, 2 m. env.

Rang 18 : comme rang 12.

Rang 19 : ★5 m. crois. droite★ 2 fois, 6 m. end., (5 m. crois. gauche) 2 fois.

Rang 20 : comme rang 10.

Rang 21 : 3 m. end., 5 m. crois. droite, 2 m. env., 6 m. end., 2 m. env., 5 m.
crois. gauche, 3 m. end.

Rangs 22 à 28 : comme rangs 2 à 8.

Rep. ces 28 rangs.

Modèle 5 : pull à torsades simples

Les torsades à 6 mailles de ce modèle alternent torsade croisée derrière et torsade croisée devant. En tricotant ce pull, cette technique vous deviendra familière.

• Fournitures

8 (9 ; 10) pelotes de 50 g de laine Rowan Designer (Designer DK Wool).
1 paire d'aiguilles n° 3.
1 paire d'aiguilles n° 4.
Aiguille auxiliaire.

• Mesures du vêtement

Âge	2-3	4-5	6-7	ans
Tour de poitrine (pull)	68	84	100	cm
Longueur	34	43	49	cm
Longueur des manches	25	28	32	cm

• Échantillon

10 x 10 cm = 30 m. et 32 rangs en torsades, aiguilles n° 4.

• Abréviations

6 m. crois. der. = glisser les 3 m. suiv. sur l'aig. aux. placée derrière,
3 m. end., puis tricotez à l'end. les 3 m. de l'aig. aux.

6 m. crois. dev. = glisser les 3 m. suiv. sur l'aig. aux. placée devant,
3 m. end., puis tricotez à l'end. les 3 m. de l'aig. aux.

Voir également p. 158.

Dos

Avec les aig. n° 3, montez 102 (126 ; 150) m.
1er rang de côtes (endroit) : 2 m. env., *2 m. end., 2 m. env.*, tout le rang.
2e rang de côtes : 2 m. end., *2 m. env., 2 m. end.*, tout le rang.
Rep. ces 2 rangs encore 4 fois.
Prenez les aig. n° 4.
Rang 1 : 2 m. env., 2 m. end., 2 m. env., *6 m. end., 2 m. env., 2 m. end., 2 m. env.*, tout le rang.
Rang 2 : 2 m. end., 2 m. env., 2 m. end., *6 m. env., 2 m. end., 2 m. env., 2 m. end.*, tout le rang.
Rangs 3 et 4 : comme rangs 1 et 2.
Rang 5 : 2 m. env., 2 m. end., 2 m. env., * 6 m. crois. dev., 2 m. env., 2 m. end., 2 m. env., 6 m. crois. der., 2 m. env., 2 m. end., 2 m. env.*, tout le rang.
Rang 6 : comme rang 2.
Rangs 7 et 8 : comme rangs 1 et 2.
Le motif torsadé se forme sur ces 8 rangs. Reprenez-les jusqu'à une hauteur totale de 32 (41 ; 47) cm, en terminant par 1 rang à l'envers.
• Encolure
Rang suiv. : tricotez 35 (45 ; 55) m. en respectant le point, tournez.
Travaillez seulement sur cette partie de m. pour le côté droit de l'encolure du dos. En respectant le point, dim. 1 m. au bord de l'encolure sur les 5 rangs suiv. Vous obtenez 30 (40 ; 50) m.

• Épaule droite
Rabattez 10 (13 ;16) m. au début du rang suiv. et au début du 2e rang d'après. Tricotez 1 rang. Rabattez les 10 (14 ; 18) m. restantes. L'endroit vers vous, glissez les 32 (36 ; 40) m. centrales sur un arrête-mailles. Reliez le fil aux m. restantes pour le côté gauche de l'encolure du dos et terminez le rang en respectant le point. Dim. 1 m. au bord de l'encolure sur les 5 rangs suiv. Vous obtenez 30 (40 ; 50) m. Tricotez 1 rang en respectant le point.
• Épaule gauche
Rabattez 10 (13 ; 16) m. au début du rang suiv. et au début du 2e rang d'après. Tricotez 1 rang. Rabattez les 10 (14 ;18) m. restantes.

Devant

Travaillez comme pour le dos jusqu'à une hauteur totale de 29 (38 ; 44) cm, en terminant par 1 rang à l'envers.
• Encolure
Rang suiv. : 41 (51 ; 61) m. en respectant le point, tournez.
Travaillez sur cette partie de m. seulement pour le côté gauche de l'encolure. À tous les rangs suiv. dim. 1 m. au bord de l'encolure, jusqu'à ce qu'il n'en reste que 30 (40 ; 50). Travaillez tout droit, jusqu'à ce que le devant ait la même hauteur que le dos au début de l'épaule, en terminant sur le bord latéral.
• Épaule
Rabattez 10 (13 ; 16) m. au début du rang suiv. et au début du 2e rang d'après. Tricotez 1 rang. Rabattez les 10 (14 ; 18) m. restantes. L'endroit étant devant vous, glissez les 20 (24 ; 28) m. centrales sur un arrête-mailles, reliez le fil aux m. restantes pour le côté droit, finissez le rang en respectant le point. Terminez comme pour le côté gauche de l'encolure du devant.

Manches

Avec les aig. n° 3, montez 50 (50 ; 58) m.
1er rang de côtes (endroit) : 2 m. end., *2 m. env., 2 m. end.*, tout le rang.
2e rang de côtes : 2 m. env., *2 m. end., 2 m. env.*, tout le rang.
Rep. ces 2 rangs encore 4 fois.
Prenez les aig. n° 4.
Rang 1 (endroit) : *2 m. end., 2 m. env.* 1 (1 ; 2) fois, (6 m. end., 2 m. env., 2 m. end., 2 m. env.) 3 fois, 6 m. end., *2 m. env., 2 m. end.* 1 (1 ; 2) fois.
Rang 2 : *2 m. env., 2 m. end* 1 (1 ; 2) fois, (6 m. env., 2 m. end., 2 m. env. 2 m. end.) 3 fois, 6 m. env., *2 m. end., 2 m. env.* 1 (1 ; 2) fois.
Rangs 3 et 4 : comme rangs 1 et 2.
Rang 5 : *2 m. end., 2 m. env.* 1 (1 ; 2) fois, 6 m. crois. dev., 2 m. env., 2 m. end., 2 m. env., 6 m. crois. der., 2 m. env., 2 m. end., 2 m. env., 6 m. crois. dev., 2 m. env., 2 m. end., 2 m. env., 6 m. crois. der., (2 m. env., 2 m. end.) 1 (1 ; 2) fois.
Rang 6 : comme rang 2.
Rangs 7 et 8 : comme rangs 1 et 2.

Le motif à torsades se forme sur ces 8 rangs. Continuez le motif en faisant 1 aug. au début et à la fin du 1er rang, ensuite 4 (8 ; 4) fois tous les 2 rangs, puis tous les 4 rangs jusqu'à obtention de 80 (88 ; 96) m.
Les aug. doivent être intégrées au motif.
Continuez tout droit jusqu'à obtenir une hauteur totale de 25 (28 ; 30) cm en finissant par un rang à l'envers.
Rabattez en respectant le motif.

Col

Fermez l'épaule droite. Sur l'endroit du travail et avec les aig. n° 3, relevez et tricotez 17 m. sur le côté gauche de l'encolure du devant, tricotez les m. centrales. Relevez en tricotant 16 m. sur le côté droit du devant, 6 m. sur le côté droit de l'encolure du dos, tricotez les m. centrales et relevez 7 m. sur le côté gauche du dos. Vous obtenez 98 (106 ; 114) m.

1er rang de côtes : 2 (0 ; 2) m. end., ★2 m. env., 2 m. end.★ jusqu'aux dernières m. : 0 (2 ; 0) m. env.
2e rang de côtes : 2 (0 ; 2) m. env., ★2 m. end., 2 m. end.★ jusqu'aux 0 (2 ; 0) dernières m. : 0 (2 ; 0) m. end.
Rep. ces 2 rangs encore 4 (5 ; 6) fois.
Prenez les aig. n° 4. Tricotez encore 12 (14 ; 16) rangs de côtes. Rabattez souplement en côtes.

Montage

Fermez l'épaule gauche et le col en inversant la couture à mi-hauteur.
Marquez les emmanchures à environ 14 (15 ; 16) cm sous les épaules, sur les bords latéraux du dos et du devant. Cousez le haut des manches entre les marques. Faites la couture des côtés et des manches.
(Voir aussi l'atelier des finitions).

Modèle 6 : jeté de canapé

Le jeté comporte une large torsade un peu difficile, associée à une simple torsade de 4 mailles et à du point mousse. Ce modèle vous donne l'occasion de vous exercer à travailler différents motifs sur un même rang, avant d'entreprendre la confection de vêtements de style irlandais.

• **Fournitures**

20 pelotes de 50 g de coton à tricoter Rowan (DK Handknit Cotton).
1 paire d'aiguilles longues n° 4.
Aiguille auxiliaire.

• **Mesures**

Environ 84 x 122 cm.

• **Échantillon**

10 x 10 cm = 20 m. et 28 rangs de jersey, aiguilles n° 4.

• **Abréviations**

4 m. crois. der. = glissez les 2 m. suiv. sur l'aig. aux. placée derrière, 2 m. end., puis tricotez à l'end. les 2 m. de l'aig. aux.
Voir également p. 158.

Réalisation

Avec les aig. n° 4, montez 175 m. Tricotez 13 rangs au point mousse.
Rang avec aug. : 9 m. end., *tricotez la m. suiv. 2 fois, 8 m. end., (tricotez la m. suiv. 2 fois, 3 m. end.) 2 fois, tricotez la m. suiv. 2 fois, 8 m. end. ; rep. à * encore 5 fois, tricotez la m. suiv. 2 fois, 9 m. end. Vous obtenez 200 m.
Rang de base du motif : 8 m. end., 4 m. env., *7 m. end., 2 m. env., 2 m. end., 4 m. env., 2 m. end., 2 m. env., 7 m. end., 4 m. env.* 6 fois, 8 m. end.
Tricotez le motif comme suit :
Rang 1 (endroit) : 7 m. end., 1 m. env., 4 m. end., *1 m. env., 4 m. end., 2 m. env., 2 m. end., 2 m. env., 4 m. end., 2 m. env., 2 m. end., 2 m. env., 4 m. end., 1 m. env., 4 m. end.* 6 fois, 1 m. env., 7 m. end.
Rang 2 : 8 m. end., 4 m. env., *7 m. end., 2 m. env., 2 m. env., 4 m. env., 2 m. env., 2 m. env., 7 m. end., 4 m. env.* 6 fois, 8 m. end.
Rang 3 : 7 m. end., 1 m. env., 4 m. crois. der., *1 m. env., 4 m. end., 2 m. env., 2 m. end., 2 m. env., 4 m. end., 2 m. env., 2 m. end., 2 m. env., 4 m. end., 1 m. env., 4 m. crois. der.* 6 fois, 1 m. env., 7 m. end.
Rang 4 : comme rang 2.
Rangs 5 à 8 : comme rangs 1 à 4.
Rang 9 : 7 m. end., 1 m. env., 4 m. end., *1 m. env., 4 m. end., 2 m. env., glissez les 4 m. suiv. sur l'aig. aux. placée derrière, 2 m. end., puis 2 m. env., tricotez à l'end. les 2 m. de l'aig. aux., glissez les 2 m. suiv. sur l'aig. aux. placée devant, 2 m. end., 2 m. env., puis tricotez à l'end. les 2 m. de l'aig. aux., 2 m. env., 4 m. end., 1 m. env., 4 m. end.* 6 fois, 1 m. env., 7 m. end.
Rangs 10 à 12 : comme rangs 2 à 4.
Rangs 13 à 15 : comme rangs 1 à 3.
Rang 16 : 8 m. end., 4 m. env., *26 m. end., 4 m. env.* 6 fois, 8 m. end.

Rang 17 : 7 m. end., 1 m. env., 4 m. end., *1 m. env., 24 m. end., 1 m. env., 4 m. end.* 6 fois, 1 m. env., 7 m. end.
Rang 18 : comme rang 16.
Rang 19 : 7 m. end., 1 m. env., 4 m. crois. der., *1 m. env., 24 m. end., 1 m. env., 4 m. crois. der.* 6 fois, 1 m. env., 7 m. end.
Rang 20 : comme rang 16.
Ces 20 rangs composent le motif. Reprenez-les encore 17 fois, puis reprenez du 1er au 14e rang.
Rangs avec dim. : 9 m. end., *2 m. end. ens., 8 m. end., (2 m. end. ens., 3 m. end.) 2 fois, 2 m. end. ens., 8 m. end. ; rep. à * encore 5 fois, 2 m. end. ens., 9 m. end. Vous obtenez 175 m. Tricotez encore 12 rangs à l'end. Rabattez à l'endroit.

Modèle 7 : manteau d'enfant

Sur ce modèle, les mailles des torsades sont tricotées par derrière pour accentuer le relief. Tricotés au point mousse, le col et la bordure sont décorés de mouches rappelant le motif des torsades.

• *Fournitures*

8 (9) écheveaux de 100 g de laine de pays Rowan (Magpie Aran).
1 paire d'aiguilles n° 4 et 1 paire n° 5. Aiguille auxiliaire. 9 boutons.

• *Mesures du vêtement*

Âge	4-6	7-10	ans
Tour de poitrine (manteau)	96	108	cm
Longueur	52	58	cm
Longueur des manches	29	38	cm

• *Échantillon*

10 x 10 cm = 17 m. et 25 rangs de jersey, aiguilles n°5.
15 m. du panneau A = 6 cm et 21 m. du panneau B = 8,5 cm.

• *Abréviations*

3 m. crois. der. : glissez la m. suiv. sur l'aig. aux. placée derrière, 2 m. end., puis tricotez à l'end. torse la m. de l'aig. aux.

3 m. crois. dev. : glissez les 2 m. suiv. sur l'aig. aux. placée devant, 1 m. torse end., puis tricotez à l'end. torse les 2 m. de l'aig. aux.

5 m. crois. : glissez les 3 m. suiv. sur l'aig. aux. placée derrière, 2 m. end., puis tricotez les m. de l'aig. aux. : 1 m. env., 2 m. end.

3 m. crois. gauche : glissez les 2 m. suiv. sur l'aig. aux. placée devant, 1 m. env., puis tricotez à l'end. les 2 m. de l'aig. aux.

3 m. crois. droite : glissez la m. suiv. sur l'aig. aux. placée derrière, 2 m. end., puis tricotez à l'env. la m. de l'aig. aux.

4 m. crois. gauche : glissez les 3 m. suiv. sur l'aig. aux. placée devant, 1 m. end., puis tricotez les m. de l'aig. aux. : 1 m. torse end., 1 m. env., 1 m. torse end.

4 m. crois. droite : glissez la m. suiv. sur l'aig. aux. placée derrière, 1 m. torse end., 1 m. env., 1 m. torse end., puis tricotez à l'end. la m. de l'aig. aux.

Mouche : tricotez la m. suiv. par devant, par derrière, par devant, par derrière et par devant, tournez, 5 m. env., tournez, 3 m. end., 2 m. ens., passez la 2e, la 3e et la 4e m. par-dessus la 1re.

Voir également p. 158.

Panneau A

Bande de 15 m.

Rang 1 (endroit) : 4 m. env., 3 m. crois. der., 1 m. env., 3 m. crois. dev., 4 m. env.

Rang 2 : 4 m. end., 3 m. env., 1 m. end., 3 m. env., 4 m. end.

Rang 3 : 3 m. env., 3 m. crois. droite, 1 m. torse end., 1 m. env., 1 m. torse end., 3 m. crois. gauche, 3 m. env.

Rang 4 : 3 m. end., 2 m. env., 1 m. end., ★ 1 m. env., 1 m. end.★ 2 fois, 2 m. env., 3 m. end.

Rang 5 : 2 m. env., 3 m. crois. der., 1 m. env., ★1 m. torse end., 1 m. env.★ 2 fois, 3 m. crois. dev., 2 m. env.

Rang 6 : 2 m. end., 3 m. env., 1 m. end., ★1 m. env., 1 m. end.★ 2 fois, 3 m. env., 2 m. end.

Rang 7 : 1 m. env., 3 m. crois. droite, 1 m. torse end., ★1 m. env., 1 m. torse end.★ 3 fois, 3 m. crois. gauche, 1 m. env.

Rang 8 : 1 m. end., 2 m. env., 1 m. end., ★1 m. env., 1 m. end.★ 4 fois, 2 m. env., 1 m. end.

Rang 9 : 1 m. env., 3 m. crois. gauche, 1 m. torse end., ★1 m. env., 1 m. torse end.★ 3 fois, 3 m. crois. droite, 1 m. env.

Rang 10 : comme rang 6.

Rang 11 : 2 m. env., 3 m. crois. gauche, 1 m. env., ★1 m. torse end., 1 m. env.★ 2 fois, 3 m. crois. droite, 2 m. env.

Rang 12 : comme rang 4.

Rang 13 : 3 m. env., 3 m. crois. gauche, 1 m. torse end., 1 m. env., 1 m. torse end., 3 m. crois. droite, 3 m. env.

Rang 14 : comme rang 2.

Rang 15 : 4 m. env., 3 m. crois. gauche, 1 m. env., 3 m. crois. droite, 4 m. env.

Rang 16 : 5 m. end., 2 m. env., 1 m. end., 2 m. env., 5 m. end.

Rang 17 : 5 m. env., 5 m. crois., 5 m. env.

Rang 18 : comme rang 16.

Rang 19 : 4 m. env., 3 m. crois. droite, 1 m. env., 3 m. crois. gauche, 4 m. env.

Rang 20 : 4 m. end., 2 m. env., 3 m. end., 2 m. env., 4 m. end.

Rang 21 : 3 m. env., 3 m. crois. droite, 3 m. end., 3 m. crois. gauche, 3 m. env.

Rang 22 : 3 m. end., 2 m. env., 5 m. end., 2 m. env., 3 m. end.

Rang 23 : 3 m. env., 3 m. crois. gauche, 3 m. end., 3 m. crois. droite, 3 m. env.

Rang 24 : comme rang 20.

Rangs 25 à 28 : comme rangs 15 à 18.

Ces 28 rangs forment le motif.

Panneau B

Bande de 21 m.

Rang 1 (endroit) : 6 m. env., 4 m. crois. droite, 1 m. torse end., 4 m. crois. gauche, 6 m. env.

Rang 2 : 6 m. end., 1 m. env., ★1 m. end., 1 m. env.★ 4 fois, 6 m. end.

Rang 3 : 5 m. env., 4 m. crois. droite, 1 m. end., 1 m. torse end., 1 m. end., 4 m. crois. gauche, 5 m. env.

Rang 4 : 5 m. end., 1 m. env., 1 m. end., 1 m. env., ★2 m. end., 1 m. env.★ 2 fois, 1 m. end., 1 m. env., 5 m. end.

Rang 5 : 4 m. env., 4 m. crois. droite, 2 m. end., 1 m. torse end., 2 m. end., 4 m. crois. gauche, 4 m. env.

Rang 6 : 4 m. end., 1 m. env., 1 m. end., 1 m. env., 2 m. end., 2 m. env., 1 m. end., 2 m. env., 2 m. end., 1 m. env., 1 m. end., 1 m. env., 4 m. end.

Rang 7 : 3 m. env., 4 m. crois. droite, 1 m. torse end., ★2 m. end., 1 m. torse end.★ 2 fois, 4 m. crois. gauche, 3 m. env.

Rang 8 : 3 m. end., 1 m. env., ★1 m. end., 1 m. env.★ 2 fois, (2 m. end., 1 m. env.) 2 fois, ★1 m. end., 1 m. env.★ 2 fois, 3 m. end.

Rang 9 : 2 m. env., 4 m. crois. droite, 1 m. end., 1 m. torse end., ★2 m. end., 1 m. torse end.★ 2 fois, 1 m. end., 4 m. crois. gauche, 2 m. env.

Rang 10 : 2 m. env., 1 m. env., 1 m. end., 1 m. env., ★2 m. end., 1 m. env.★ 4 fois, 1 m. end., 1 m. env., 2 m. end.

Rang 11 : 1 m. env., 4 m. crois. droite, 2 m. end.,★1 m. torse end., 2 m. end.★ 3 fois, 4 m. crois. gauche, 1 m. env.

Rang 12 : ★1 m. end., 1 m. env.★ 2 fois, 3 m. end., (1 m. env., 2 m. end.) 2 fois, 1 m. env., 3 m. end., ★1 m. env., 1 m. end.★ 2 fois.

Rang 13 : ★1 m. env., 1 m. torse end.★ 2 fois, 3 m. end., mouche, (2 m. end., mouche) 2 fois, 3 m. end., ★1 m. torse end., 1 m. env.★ 2 fois.

Rang 14 : ★1 m. end., 1 m. env.★ 2 fois, 3 m. end., 1 m. torse env., (2 m. end., 1 m. torse env.) 2 fois, 3 m. end., ★1 m. env., 1 m. end.★ 2 fois.

Rang 15 : ★1 m. env., 1 m. torse end.★ 2 fois, 3 m. end., 1 m. torse end., 1 m. env., 3 m. torses end., 1 m. env., 1 m. torse end., 3 m. end., (1 m. torse end., 1 m. env.) 2 fois.

Rang 16 : 7 m. end., 1 m. env.,1 m. end., 3 m. end., 1 m. env., 1 m. env., 7 m. end.

Ces 16 rangs forment le motif.

Panneau C

Bande de 5 m.

Rangs 1 à 4 : 5 m. env.

Rang 5 (endroit) : 2 m. env., mouche, 2 m. env.

Rangs 6 à 8 : 5 m. env.

Ces 8 rangs forment le motif.

Dos

Avec les aig. n° 4, montez 103 (113) m.

2 rangs à l'envers.

Rang suiv. : 7 (1) m. env., ★mouche, 10 m. env.★ 8 (10) fois, mouche, 7 (1) m. env.

Tricotez les 2 rangs suivants à l'envers.

Rang avec aug. : 7 (12) m. env., ★tricotez la m. suiv. 2 fois à l'envers, 7 m. env.★ 11 fois, tricotez la m. suiv. 2 fois à l'envers, 7 (12) m. env. Vous obtenez 115 (125) m. Prenez les aig. n° 5.

Rang 1 (endroit) : 0 (5) m. env., ★1 m. torse end., tricotez le 1er rang du panneau A, 1 m. torse end., tricotez le 1er rang du panneau B, 1 m. torse end., tricotez le 1er rang du panneau A, 1 m. torse end.★; tricotez le 1er rang du panneau C ; rep. de ★ à ★, 0 (5) m. env.

Rang 2 : 0 (5) m. env., ★1 m. torse env., tricotez le 2e rang du panneau A, 1 m. torse env., tricotez le 2e rang du panneau B, 1 m. torse env., tricotez le 2e rang du panneau A, 1 m. torse env.★, tricotez le 2e rang du panneau C ; rep. de ★ à ★, 0 (5) m. env.

Ces 2 rangs fixent l'emplacement des panneaux. Continuez le motif jusqu'à une hauteur totale de 52 (58) cm, en finissant par 1 rang à l'envers.

• **Épaules**

Rabattez 18 (20) m. au début des 2 rangs suiv. et 19 (20) m. au début des 2 rangs d'après. Rabattez les 41 (45) m. restantes.

Devant gauche

Avec les aig. n° 4, montez 54 (59) m.

2 rangs à l'envers.

Rang suiv. : 4 (9) m. env., ★mouche, 10 m. env.★ 4 fois, mouche, 5 m. env. 2 rangs à l'envers.

Rang avec aug. : ★7 m. env., 2 m. env. dans la m. suiv.★ 6 fois, 6 (11) m. env.

Vous obtenez 60 (65) m. Prenez les aig. n° 5.

Rang 1 (endroit) : 0 (5) m. env., 1 m. torse end., tricotez le 1er rang du panneau A, 1 m. torse end., tricotez le 1er rang du panneau B, 1 m. torse end., tricotez le 1er rang du panneau A, 1 m. torse end., 5 m. env.

Rang 2 : 5 m. env., 1 m. torse env., tricotez le 2e rang du panneau A, 1 m. torse env., tricotez le 2e rang du panneau B, 1 m. torse env., tricotez le 2e rang du panneau A, 1 m. torse env., 0 (5) m. env.

Ces 2 rangs fixent l'emplacement des panneaux avec 5 m. env. pour la bande de devant. Continuez le motif jusqu'à une hauteur totale de 45 (51) cm en finissant sur le bord latéral.

• **Encolure**

Rang suiv. : suivez le motif jusqu'aux 6 dernières m., tournez, glissez ces 6 m. sur un arrête-mailles. En respectant le motif, rab. 3 (4) m. au début du rang suiv. et du 2e rang d'après. Dim. 1 m. au bord de l'encolure sur tous les rangs jusqu'à ce qu'il ne reste que 37 (40) m. Continuez tout droit, jusqu'à ce que le devant ait la même hauteur que le dos aux épaules, en terminant sur le bord latéral.

• **Épaule**

Au début du rang suiv., rab. 18 (20) m. Tricotez 1 rang. Rabattez les 19 (20) m. restantes.

Marquez l'emplacement des 7 boutons sur la bande de devant : le premier au 3e rang de la bordure, le dernier à 1 cm sous l'encolure, les 5 autres espacés régulièrement.

Devant droit

Avec les aig. n° 4, montez 54 (59) m.

2 rangs à l'envers.

Rang avec boutonnières : 2 m. env., fil autour de l'aiguille, 2 m. ens. à l'env., 1 m. env., ★mouche, 10 m. env.★ 4 fois, mouche, 4 (9) m. env.

2 rangs à l'envers.

Rang avec aug. : 6 (11) m. env., ★tricotez la m. suiv. 2 fois à l'env., 7 m. env.★ 6 fois. Vous obtenez 60 (65) m. Prenez les aiguilles n° 5.

Rang 1 (endroit) : 5 m. env., 1 m. torse end., tricotez le 1er rang du panneau A, 1 m. torse end., tricotez le 1er rang du panneau B, 1 m. torse end., tricotez le 1er rang du panneau A, 1 m. torse end., 0 (5) m. env.

Rang 2 : 0 (5) m. env., 1 m. torse env., tricotez le 2e rang du panneau A, 1 m. torse env., tricotez le 2e rang du panneau B, 1 m. torse env., tricotez le 2e rang du panneau A, 1 m. torse env., 5 m. env.

Ces 2 rangs fixent l'emplacement des panneaux avec 5 m. env. pour la bande de boutonnage.

Continuez comme indiqué pour le devant gauche, en faisant des boutonnières correspondant aux repères de la partie gauche.

Manches

Avec les aig. n° 4, montez 33 (37) m.

2 rangs à l'envers.

Rang suiv. : 4 (6) m. env., ★mouche, 5 m. env.★ 4 fois, mouche, 4 (6) m. env.

2 rangs à l'envers.

Rang avec aug. : 1 (2) m. env., ★ ajoutez 1 m., 1 m. env., ajoutez 1 m., 2 m. env.★ jusqu'aux 2 dernières m. : (ajoutez 1 m., 1 m. env.) 2 fois.

Vous obtenez 55 (61) m.

Prenez les aig. n° 5.

Rang 1 (endroit) : 0 (3) m. env., 1 m. torse end., tricotez le 1er rang du panneau A, 1 m. torse end., tricotez le 1er rang du panneau B, 1 m. torse end., tricotez le 1er rang du panneau A, 1 m. torse end., 0 (3) m. env.

Rang 2 : 0 (3) m. env., 1 m. torse env., tricotez le 2ᵉ rang du panneau A, 1 m. torse env., tricotez le 2ᵉ rang du panneau B, 1 m. torse env., tricotez le 2ᵉ rang du panneau A, 1 m. torse env., 0 (3) m. env.

Ces 2 rangs fixent l'emplacement des panneaux. Continuez le motif avec 1 aug. au début et à la fin du 3ᵉ rang et ensuite tous les 5 (6) rangs jusqu'à obtenir 75 (85) m. Tricotez les aug. à l'env. Continuez tout droit jusqu'à une hauteur totale de 29 (38) cm, en finissant par 1 rang à l'envers. Rabattez les m.

Col

Faites la couture des épaules.

L'endroit vers vous, glissez les 6 m. de l'arrête-mailles sur une aig. n° 4, relevez en tricotant 20 (21) m. sur le bord de l'encolure du devant droit, 31 (35) m. au bord de l'encolure du dos, 20 (21) m. sur l'encolure du devant gauche, puis les 6 m. de l'arrête-mailles. Vous obtenez 83 (89) m.

1 rang à l'envers.

Les 2 rangs suiv. : à l'envers jusqu'aux 23 dernières m., tournez.

Les 2 rangs suiv. : à l'envers jusqu'aux 19 dernières m., tournez.

Les 2 rangs suiv. : à l'envers jusqu'aux 15 dernières m., tournez.

Les 2 rangs suiv. : à l'envers jusqu'aux 11 dernières m., tournez.

Les 2 rangs suiv. : à l'envers jusqu'aux 7 dernières m., tournez.

Rang suiv. : tout à l'envers.

Rabattez à l'env. 3 m. au début des 2 rangs suiv. Vous obtenez 77 (83) m.

4 rangs à l'envers.

Prenez les aig. n° 5.

Rang suiv. : 2 m. env., mouche, à l'env. jusqu'aux 3 dernières m. : mouche, 2 m. env.

5 rangs à l'envers. Rep. les 6 derniers rangs encore une fois.

Rang suiv. : 2 m. env., mouche, ★5 m. env., mouche★ jusqu'aux 2 dernières m. : 2 m. env.

3 rangs à l'envers. Rabattez souplement à l'envers.

Martingale

Avec les aig. n° 4, montez 61 m.

9 rangs à l'endroit. Rabattez.

Montage

Cousez les manches en plaçant le milieu du haut de la manche contre la couture de l'épaule. Faites la couture des côtés et des manches. Cousez les boutons. Placez la martingale sur le dos et fixez ses extrémités avec des boutons.

(Voir également l'atelier des finitions).

Les mailles torses sont employées dans les deux torsades et servent aussi de ligne de séparation. Comme ce manteau est tricoté en laine de pays, il suffit de quelques rangs pour confectionner une grosse mouche.

CHAPITRE QUATRE

L'atelier des couleurs

L ES TRICOTEUSES DISPOSENT aujourd'hui d'une très large gamme de teintes : des tons pastel aux couleurs primaires, en passant par les coloris épicés, les ocres et terres cuites, les bleus indigo ou denim passé, etc.

Certaines personnes sont capables de confectionner des tricots extrêmement compliqués, mais restent timorées quant au travail de la couleur. C'est dommage, car les techniques sont simples. Il s'agit essentiellement du jacquard et des motifs de couleur isolés. Dans la technique du jacquard, les couleurs traversent les rangs et le fil de couleur non utilisé ondule sur l'envers ou est tissé dans le tricot. Pour les motifs de couleur isolés, on emploie différents pelotons ou longueurs de fil pour chaque zone colorée.

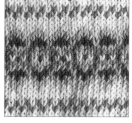

La couverture pour lit de bébé (voir p. 86) repose sur un assemblage de textures et de couleurs composé selon la technique des motifs de couleur ; le cardigan (voir p. 90) est travaillé en jacquard tandis que le pull d'enfant (voir p. 93) associe les deux techniques. Vous trouverez également un bonnet à rayures tout simple, tricoté en rond sur des aiguilles à deux pointes.

Ajouter du fil

Quand on commence une nouvelle pelote ou qu'on tricote des rayures de différentes couleurs,
il faut savoir où et comment ajouter le nouveau fil pour obtenir un tricot présentable et bien fini.

Dans la mesure du possible, il faut ajouter le nouveau fil au début d'un rang. Pour savoir s'il reste suffisamment de fil pour 1 rang de jersey ou de tricot simple, posez l'ouvrage à plat et vérifiez que le fil mesure 4 fois sa largeur : c'est la longueur nécessaire pour 1 rang de jersey.

Pour un vêtement dont les motifs ou les points sont très structurés, ajoutez le fil de la nouvelle pelote au début du rang pour vous éviter d'avoir à détricoter des mailles si vous manquez de fil. Si vous êtes sûre d'avoir assez de fil pour 1 rang mais peut-être pas pour 2, faites un nœud au milieu du fil restant. Tricotez 1 rang ; si vous n'êtes pas arrivée au nœud, c'est que vous avez assez de fil pour faire un autre rang.

    Pour faire une jonction au bord de votre ouvrage, laissez tomber le 1er fil et commencez le rang

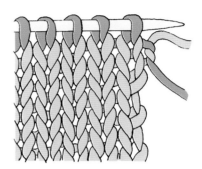

suivant avec le nouveau fil. Après quelques mailles, nouez souplement les 2 brins (vous les rentrerez après). S'il vous faut ajouter du fil au milieu d'un rang, laissez tomber le 1er fil en lui gardant une longueur suffisante pour le rentrer, ajoutez le nouveau fil avec un brin assez long et continuez à tricoter. Après quelques rangs, rentrez les brins.

Rentrer les brins

Rentrer les brins sur un vêtement fini peut sembler long et fastidieux, surtout quand il s'agit
d'un jacquard. Mais ne négligez pas cette tâche en procédant trop hâtivement,
car à l'usage vous risquez de vous retrouver avec un vêtement troué dont les brins ressortent.
Sachez de plus qu'un bel ouvrage se reconnaît aussi à la qualité de l'envers.

Un brin ou un fil simplement passé autour des mailles peut se défaire si le vêtement est souvent porté et lavé. Une façon d'arrêter proprement un brin consiste à le faire passer souplement autour de quelques mailles et de le faire retourner sur le bout que l'on a fait rentrer. Assurez-vous que le brin n'est pas trop serré, ce qui pourrait déformer le tricot. Avant de couper le fil, étirez l'ouvrage pour assouplir le bout rentré. Vérifiez également que le brin ne se voit pas sur l'endroit.

    Ne faites jamais de nœud dans le fil, car il se défera inévitablement ou apparaîtra sur l'endroit.

Si vous tombez sur un nœud en tricotant, défaites-le.

    Lorsque vous tricotez des motifs de différentes couleurs (voir p. 72), laissez une bonne longueur de fil au début et à la fin de chaque zone de couleur et arrêtez ces brins très soigneusement car ils se trouveront au milieu du tricot. Tirez fermement sur le bout avant de l'arrêter pour éviter que la maille ne soit trop lâche sur l'endroit. Les bouts doivent être guidés sur l'envers, le long de la ligne du changement de couleur, afin d'être moins visibles sur l'endroit.

Tricoter en suivant une grille

Au lieu d'être expliqués rang par rang, les motifs d'un tricot sont souvent présentés sous forme de grille, surtout s'il s'agit de couleurs. J'aime bien travailler en suivant une grille, car il est très facile de vérifier que le tricot correspond bien aux symboles de la grille.

Comprendre une grille est plus facile si vous la regardez comme un tricot, en travaillant du bord inférieur vers le haut.

Chaque carré de l'horizontale de la grille représente 1 maille tandis que chaque carré de la verticale correspond à 1 rang de tricot.

En général, les règles sont les suivantes :

Rangs : en jersey, suivez une ligne de carrés de droite à gauche pour les rangs à l'endroit. Pour les rangs à l'envers, suivez, de gauche à droite, la ligne située immédiatement au-dessus. Pour respecter une grille plus facilement, vous pouvez utiliser un compte-rangs (voir p. 11) ou placer une règle sous le rang que vous tricotez ; il vous suffit de remonter la règle au fur et à mesure que les rangs sont terminés.

Points : en général, la grille ne donne qu'une seule reprise du motif qui doit être répété sur toute la largeur du tricot. Cette partie figure normalement entre des lignes verticales en gras avec une indication pour la reprendre sur toute la longueur du rang. Il peut y avoir des mailles supplémentaires aux deux extrémités. Ce sont des mailles lisière tricotées pour équilibrer le motif et reprendre les mailles restantes ne pouvant pas être tricotées comme une reprise de motif complète.

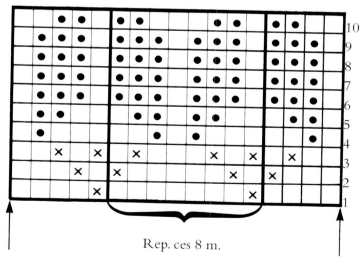

Rep. ces 8 m.

Maille lisière   Maille lisière

SYMBOLES

☐ Couleur principale

⊠ Couleur de contraste A

● Couleur de contraste B

69

Le jacquard

Dans la méthode des fils flottants, on fait onduler le fil dont on ne se sert pas sur l'envers du travail jusqu'au moment où il est utilisé. Ne tirez pas sur les boucles ainsi formées en tricotant la maille suivante car vous risquez de resserrer le tricot. Si l'espace entre 2 couleurs dépasse 4 mailles, optez plutôt pour la méthode du tissage : elle évite d'avoir de trop longues boucles qui ôtent de la souplesse au tricot.
Si votre modèle comporte beaucoup de motifs en couleur, vous aurez recours à ces 2 méthodes, en choisissant celle qui convient le mieux à chaque partie du dessin.

Tissage

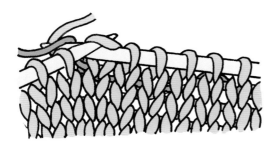

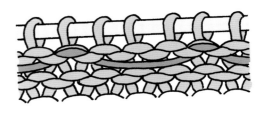

Avec cette méthode, les fils flottants sont pris toutes les 2, 3 ou 4 mailles par le fil de travail. Optez de préférence pour 3 ou 4 mailles car le tissage toutes les 2 mailles peut déformer le tricot et modifier sa tension. Piquez l'aiguille droite

dans la maille. Posez le fil de fond sur la pointe de l'aiguille droite, tricotez la maille comme d'habitude sans tricoter le fil de fond. À la maille suivante, le fil de fond sera pris. Sur des rangs à l'envers, utilisez la même méthode pour prendre le fil.

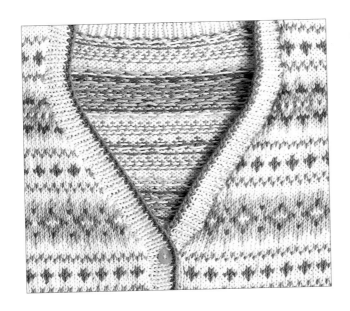

À gauche : *sur ce détail d'un cardigan en jacquard (voir p. 90), on voit que l'envers d'un tricot avec tissage et fils flottants peut être très net.*

Fils flottants

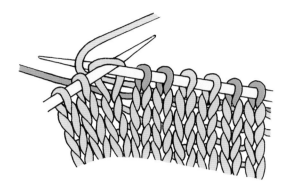

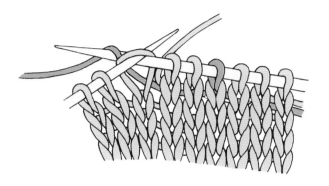

1 Sur un rang à l'endroit, tenez le fil de la 1re couleur dans la main droite et celui de la 2e dans la main gauche. Tricotez comme d'habitude le nombre de mailles nécessaire avec la 1re couleur, en faisant courir la 2e couleur, souplement, sur l'envers du travail.

2 Pour tricoter une maille avec la 2e couleur, piquez l'aiguille droite dans la maille suivante, tirez une boucle à travers cette maille avec le fil tenu dans la main gauche et faites courir le fil de la main droite, souplement, sur l'envers, jusqu'à ce qu'il soit utilisé.

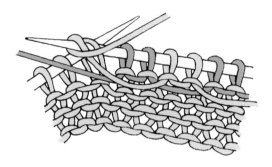

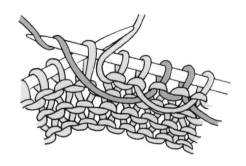

3 Sur un rang à l'envers, tenez les fils comme pour le rang à l'endroit. Tricotez à l'envers le nombre de mailles nécessaire avec la 1re couleur en faisant courir la 2e couleur, souplement, derrière les mailles sur l'envers du travail.

4 Pour tricoter une maille à l'envers avec la 2e couleur, piquez l'aiguille droite dans la maille suivante, tirez une boucle à travers cette maille avec le fil tenu de la main gauche et en faisant courir le fil de la main droite, souplement, sur l'envers jusqu'à ce qu'il soit utilisé.

CONSEIL : FILS FANTAISIE

Si le style s'y prête, vous pouvez tout à fait incorporer des fils fantaisie à un vêtement. S'ils sont souvent de mauvais goût lorsqu'ils sont présents sur de larges surfaces, les fils de lurex (argent et or) peuvent donner un éclat subtil et une note de charme utilisés en petites touches. Vous pouvez ainsi intégrer du lurex à un motif de jacquard pour moderniser un dessin traditionnel,

l'utiliser pour garnir un col et des poignets (voir les motifs de bordures, pp. 136-139) ou pour rebroder un tricot (voir pp. 128-129). Avec le mohair et l'angora, on peut réaliser de jolis cols et poignets ou jouer sur un effet de fausse fourrure (voir pp. 130-131). Faites des essais en combinant différents types de fils : les résultats peuvent être merveilleux.

Tricoter des motifs isolés

Dans ce type de tricot, le motif est travaillé en larges zones de couleur isolées. Il vous faut un peloton individuel pour chaque zone de couleur puisque le fil n'ondule pas sur l'envers.

Changement de couleur en diagonale vers la gauche

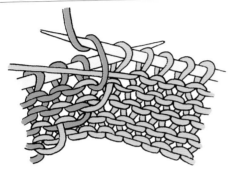

Cette figure montre un changement de couleur sur l'envers de l'ouvrage.

Prenez un peloton pour chaque zone de couleur. Sur un rang de l'endroit, les fils sont disposés derrière le travail et se mêlent automatiquement à l'endroit du changement de couleur. Sur un rang de l'envers, les fils étant disposés devant, passez le 1er coloris sur le 2e, lâchez-le et prenez le 2e coloris sous le 1er, les 2 fils seront ainsi croisés.

Changement de couleur en diagonale vers la droite

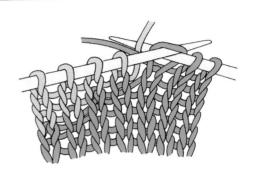

Cette figure montre un changement de couleur sur l'endroit de l'ouvrage.

Prenez un peloton pour chaque zone de couleur. Sur un rang de l'endroit, les fils étant disposés derrière l'ouvrage, passez le 1er coloris sur le 2e, lâchez-le, prenez le 2e sous le 1er, les 2 fils seront ainsi croisés. Sur un rang de l'envers, les fils étant devant, le croisement des fils aux endroits de changement de couleur se fait automatiquement.

Changement de couleur vertical

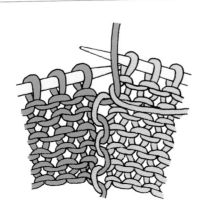

Cette figure montre un changement de couleur sur l'envers de l'ouvrage.

Prenez un peloton pour chaque zone de couleur. Travaillez avec le 1er coloris jusqu'à l'endroit du changement de couleur, lâchez le 1er coloris, prenez le 2e sous le 1er en croisant les 2 fils avant de tricoter la maille suivante avec le 2e coloris. Cette 1re maille après un changement de couleur doit être tricotée serrée pour qu'il n'y ait pas de trou entre les 2 coloris. Avec cette technique, les fils sont croisés sur tous les rangs. Vous aurez sur l'endroit une ligne verticale bien nette entre les coloris et, sur l'envers, une ligne verticale de boucles de chaque couleur.

Tricoter en rond

Cette méthode produit un tricot sans couture, devenant tube si on ne lui donne pas une forme particulière.

Avec une aiguille circulaire

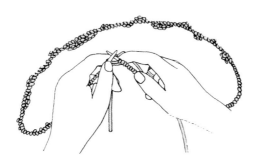

Pour commencer le travail, montez le nombre de mailles nécessaire sur les pointes de l'aiguille, puis répartissez-les régulièrement sur toute la longueur. À ce stade, il faut absolument vérifier que le bord des mailles montées ne vrille pas avant de fermer le rond. Si le bord vrille, vous risquez d'obtenir une bordure qui se tord.

La 1re maille tricotée dans le 1er rang est le début du rang. Pour garder trace du début et de la fin des rangs, faites un petit nœud coulant avec un fil d'une couleur différente et placez-le comme repère sur l'aiguille au début du 1er rang. Au début de chaque rang, faites-le glisser d'une pointe de l'aiguille sur l'autre.

Avec un jeu de 4 aiguilles

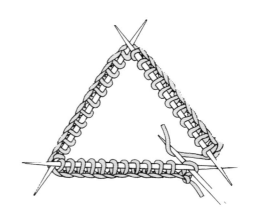

Divisez le nombre total de mailles par 3. Montez chaque tiers sur une des 3 aiguilles (la 4e étant celle qui travaille). Disposez les aiguilles en triangle et serrez la dernière maille contre la 1re. Veillez à ce que le bord des mailles montées ne vrille pas. Tricotez les mailles de la 1re aiguille en les déplaçant sur la 4e. Au fur et à mesure qu'une aiguille se libère, elle devient aiguille de travail pour le groupe de mailles suivant.

Tirez bien sur le fil entre 2 aiguilles pour éviter qu'une échelle ne se forme ou tricotez à chaque rang les 2 mailles de l'aiguille suivante. Avec un repère (nœud de couleur), gardez trace du début de chaque rang.

CONSEIL : L'UTILISATION DE BOBINETTES

Si plus de 2 couleurs interviennent dans un rang ou si une couleur se retrouve à de nombreux endroits, il est difficile d'éviter que les fils ne s'emmêlent. Enroulés sur des bobinettes, les fils restent bien séparés et pendent sur l'envers du travail jusqu'au moment de leur utilisation. Ces bobinettes sont idéales pour tricoter des motifs ne nécessitant qu'une petite longueur de chaque coloris pour les différentes zones. Utilisez une bobinette par coloris, enroulez suffisamment de fil pour chaque zone et déroulez-le peu à peu.

La famille des points de couleur

*Vous trouverez ici aussi bien des motifs isolés que des dessins qui se répètent tout au long du rang.
Certaines variations de motifs figurent uniquement sur les grilles. En travaillant avec des teintes
et des grosseurs de fil différentes, vous pouvez obtenir une multitude d'effets à partir d'un seul motif.
Commencez par faire un échantillon de jacquard avec un fil fin et des teintes pastel,
puis essayez avec un fil plus gros et des couleurs vives sur un fond sombre.*

Étoiles

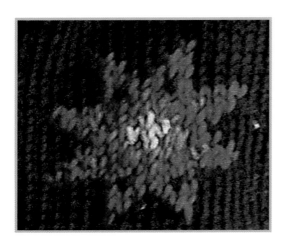

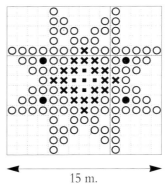

15 m.

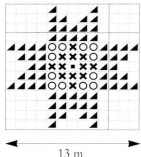

13 m.

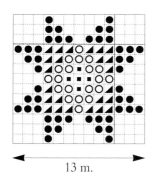

13 m.

Étoiles répétées

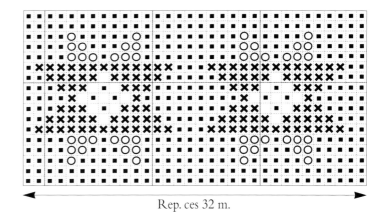

Rep. ces 32 m.

Fleurs

Pensées

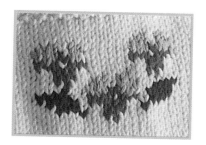

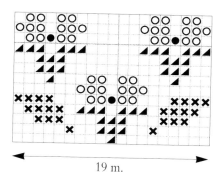

19 m.

Roses

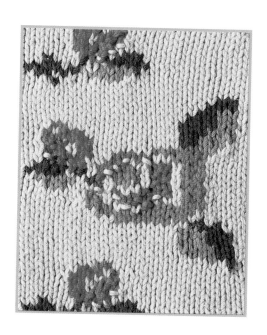

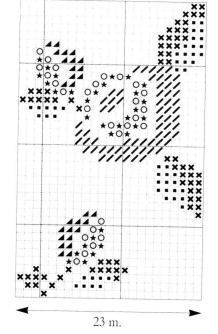

23 m.

Tulipes et cœur

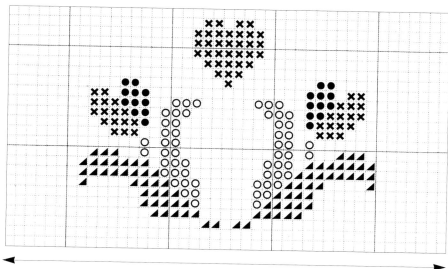

43 m.

Oiseaux

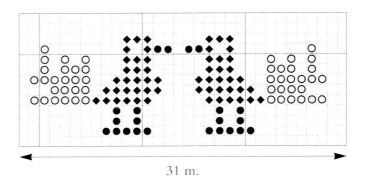

31 m.

Cœurs

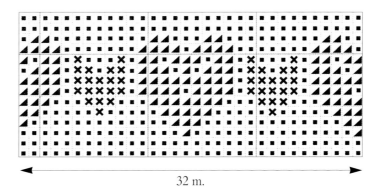

32 m.

Plage

Poisson

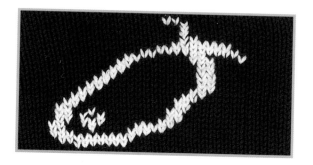

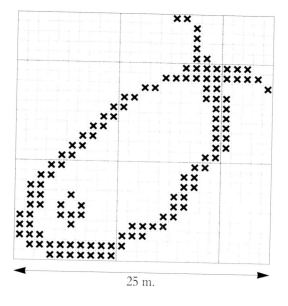

25 m.

Étoile de mer

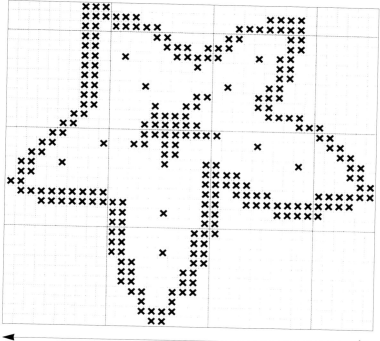

36 m.

Bateau

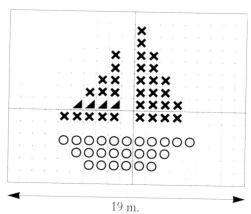

19 m.

Coquillage

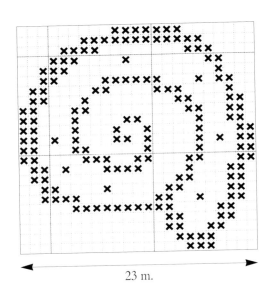

23 m.

Drapeaux

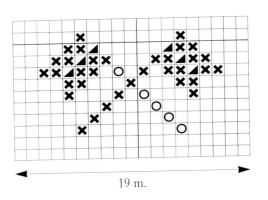

19 m.

Ancre

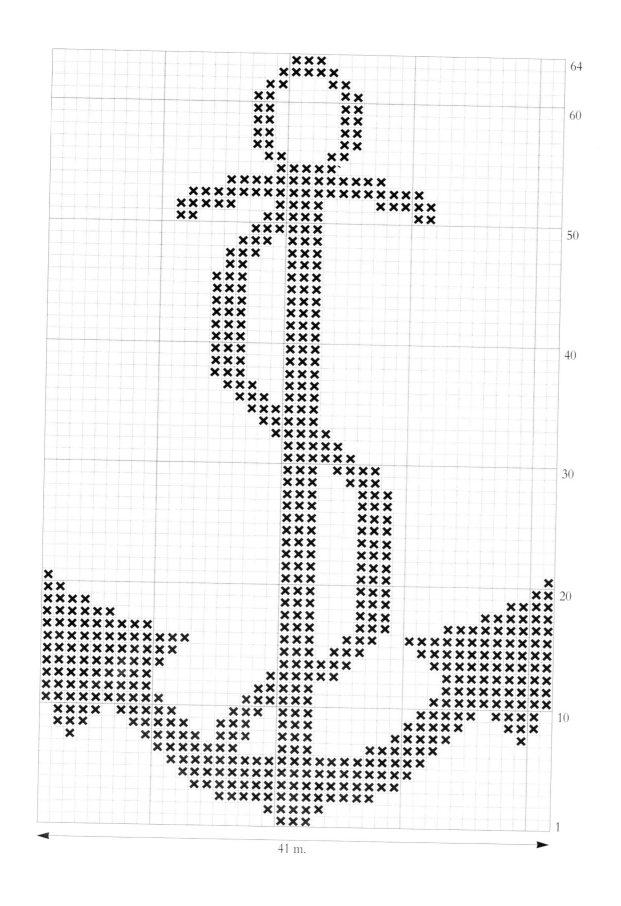

41 m.

Damier

A = crème
B = bleu clair
C = bleu foncé

Nombre de m. divisible par 8.

Rang 1 (endroit) : 3 m. end. A, (2 B, 2 A) jusqu'à la dernière m. : 1 A.

Rang 2 : 3 m. env. A, (2 B, 2 A) jusqu'à la dernière m. : 1 A.

Rang 3 : 3 m. end. B, (2 C, 2 B) jusqu'à la dernière m. : 1 B.

Rang 4 : 3 m. env. B, (2 C, 2 B) jusqu'à la dernière m. : 1 B.

Ces 4 rangs forment le damier.

Écossais

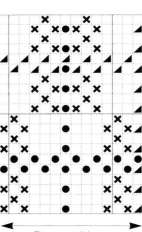

Rep. ces 14 m.

Jacquard

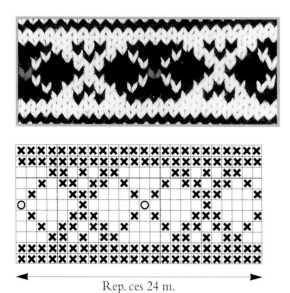

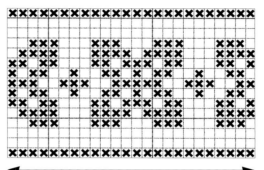

Rep. ces 24 m.

Rep. ces 24 m.

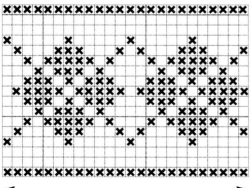

Rep. ces 24 m.

CONSEIL : LE JACQUARD

Les grilles de jacquard présentées ici et sur les deux pages suivantes montrent un peu plus qu'un simple motif repris sur un rang afin que vous puissiez voir comment un dessin peut s'enchaîner et former une frise. Les bandes de jacquard donnent de jolies bordures, qui peuvent s'ajouter à un motif principal ou être tricotées isolément, en couleurs vives, sur un vêtement uni.

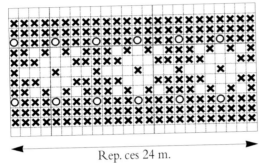

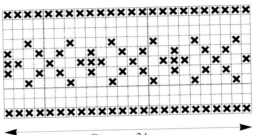

Rep. ces 24 m.

Rep. ces 24 m.

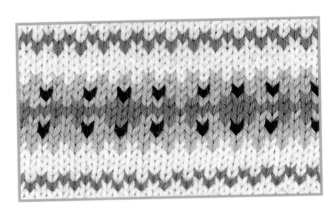

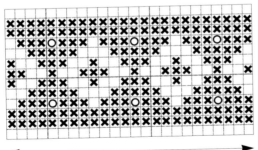

Rep. ces 24 m.

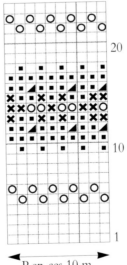

20

10

1

Rep. ces 10 m.

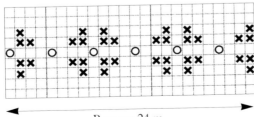

Rep. ces 24 m.

Larges bandes de jacquard

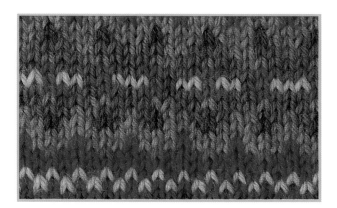

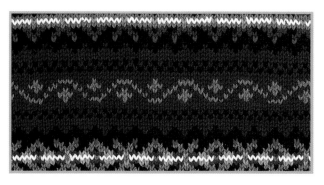

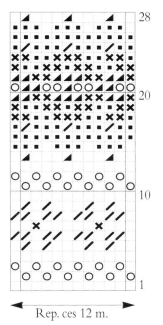

Rep. ces 12 m.

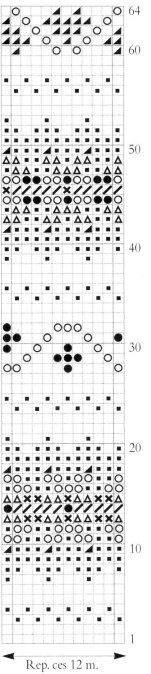

Rep. ces 12 m.

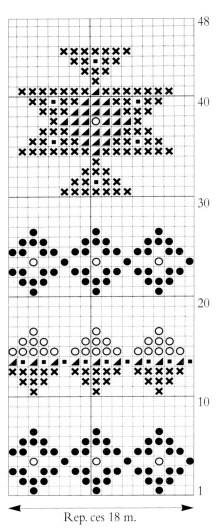

Rep. ces 18 m.

CONSEIL : TRADUIRE DES MOTIFS

Vous pouvez trouver des motifs intéressants dans les livres de broderie (broderie au point de croix surtout) et souhaiter les adapter au tricot.

Bien qu'un carré représente une maille, n'oubliez pas qu'une maille est plus large que la hauteur d'un rang. Votre dessin s'élargira donc une fois tricoté. Pour compenser cette différence, ajoutez quelques rangs. Par

exemple, si vous voulez tricoter un cercle, faites une grille avec un ovale vertical.

En faisant des essais avec des motifs destinés au point de croix, vous apprendrez à dessiner vos propres motifs dans une grille. Les dessins de jacquard présentés dans cette famille de points ont tous été repris sur des vêtements que j'ai tricotés (voir les adresses p. 159).

Modèle 8 : bonnet rayé

Parfait pour vous exercer à tricoter en rond, ce modèle sans couture présente une finition bien nette sur le dessus. En général, je préfère l'aiguille circulaire aux aiguilles à 2 pointes. Mais comme ce bonnet est petit et comporte plusieurs diminutions, les mailles deviendraient lâches sur une aiguille circulaire.

Réalisation

Avec les aiguilles n° 4 et le fil rouge, montez 70 m. et répartissez-les sur 3 aiguilles. Marquez la fin du rang de montage pour repérer la fin des rangs. Tricotez 12 rangs au point jersey (tous les rangs à l'endroit). Continuez à l'endroit en alternant des rayures de 4 rangs d'écru, 4 rangs de rouge. Tricotez 18 rangs.

Rang avec dim. : *2 m. ens., 8 m. end.*, tout le rang.
Tricotez 3 rangs tout droit.
Rang avec dim. : *2 m. ens., 7 m. end.*, tout le rang.
Tricotez 3 rangs tout droit.
Rang avec dim. : *2 m. ens., 6 m. end.*, tout le rang.
Tricotez 3 rangs tout droit.
Rang avec dim. : * 2 m. ens., 5 m. end.*, tout le rang.
Vous obtenez 42 m.
Tricotez 3 rangs.
Rang avec dim. : 2 m. ens. tout le rang.
Coupez le fil et faites passer le brin à travers les m. restantes, tirez et arrêtez.
Avec le jeu d'aiguilles n° 4 et le fil rouge, montez 5 m. et répartissez-les sur 3 aiguilles. Tricotez 12 rangs à l'endroit.
Coupez le fil et faites passer le brin restant à travers les m.
Tirez et arrêtez, puis cousez sur le dessus du bonnet.

• Fournitures
1 pelote de 50 g de coton à tricoter Rowan rouge (DK Handknit Cotton) et 1 autre en écru.
1 jeu de 4 aiguilles n° 4.

• Taille
12 mois.

• Échantillon
10 x 10 cm = 20 m. et 28 rangs, aiguilles n° 4.

• Abréviations
Voir page 158.

Modèle 9 : couverture pour bébé

Avec ses cœurs réalisés au point de riz et ses motifs enfantins, cette couverture combine des textures et des couleurs différentes. Chaque motif est travaillé avec des longueurs de fils séparées.

• Fournitures

7 pelotes de 50 g de coton à tricoter Rowan, coloris écru (A) (DK Handknit Cotton).
1 pelote de même qualité, coloris rouge, bleu et jaune.
1 petite quantité du même fil en brun et bleu marine.
1 paire d'aiguilles n° 4.

• Mesures

Environ 61 x 76 cm.

• Échantillon

10 x 10 cm = 20 m. et 28 rangs de jersey, aiguilles n° 4.

• Abréviations

Voir page 158.

• Notes

Lisez les grilles de droite à gauche pour les rangs à l'endroit, et de gauche à droite pour les rangs à l'envers.
Quand vous tricotez des motifs de couleur, prenez des longueurs de fils séparées pour chaque zone colorée et croisez ces fils sur l'envers aux changements de couleur pour éviter de faire des trous.

Réalisation

Avec les aig. n° 4 et le fil A (écru), montez 123 m.
Rang 1 : 1 m. end., ★1 m. env., 1 m. end.★, tout le rang.
C'est la base du point de riz. Faites encore 3 rangs au point de riz.
Rang 5 (endroit) : avec A, 3 m. point de riz, puis tricotez le 1er rang de la grille 1 ; avec A, 3 m. point de riz, puis tricotez le 1er rang de la grille 2 ; avec A, 3 m. point de riz, puis tricotez le 1er rang de la grille 1 ; avec A, 3 m. point de riz, puis tricotez le 1er rang de la grille 3 ; avec A, 3 m. point de riz, puis tricotez le 1er rang de la grille 1 ; avec A, 3 m. point de riz.
Rang 6 : avec A, 3 m. point de riz, puis tricotez le 2e rang de la grille 1 ; avec A, 3 m. point de riz, puis tricotez le 2e rang de la grille 3 ; avec A, 3 m. point de riz, puis tricotez le 2e rang de la grille 1 ; avec A, 3 m. point de riz, puis tricotez le 2e rang de la grille 2 ; avec A, 3 m. point de riz, puis tricotez le 2e rang de la grille 1 ; avec A, 3 m. point de riz.
Rangs 7 à 30 : rep. les rangs 5 et 6 encore 12 fois en tricotant du 3e au 26e rang de chaque grille.
Rangs 31 à 34 : avec A, rep. 4 fois le rang 1.
Rang 35 : avec A, 3 m. point de riz, tricotez le 1er rang de la grille 4 ; avec A, 3 m. point de riz, tricotez le 1er rang de la grille 1 ; avec A, 3 m. point de riz, tricotez le 1er rang de la grille 5 ; avec A, 3 m. point de riz, tricotez le 1er rang de la grille 1 ; avec A, 3 m. point de riz, tricotez le 1er rang de la grille 6 ; avec A, 3 m. point de riz.

Rang 36 : avec A, 3 m. point de riz, puis tricotez le 2e rang de la grille 6 ; avec A, 3 m. point de riz, puis tricotez le 2e rang de la grille 1 ; avec A, 3m. point de riz, puis tricotez le 2e rang de la grille 5 ; puis tricotez le 2e rang de la grille 1 ; avec A, 3 m. point de riz, puis tricotez le 2e rang de la grille 4 ; avec A, 3 m. point de riz.
Rangs 37 à 64 : tricotez comme du 7e au 34e rang.
Rang 65 : avec A, 3 m. point de riz, puis tricotez le 1er rang de la grille 1 ; avec A, 3 m. point de riz, puis tricotez le 1er rang de la grille 7 ; avec A, 3 m. point de riz, puis tricotez le 1er rang de la grille 1 ; avec A, 3 m. point de riz, puis tricotez le 1er rang de la grille 8 ; avec A, 3 m. point de riz, puis tricotez le 1er rang de la grille 1 ; avec A, 3 m. point de riz.
Rang 66 : avec A, 3 m. point de riz, puis tricotez le 2e rang de la grille 1 ; avec A, 3 m. point de riz, puis tricotez le 2e rang de la grille 8 ; avec A, 3 m. point de riz, puis tricotez le 2e rang de la grille 1 ; avec A, 3 m. point de riz, puis tricotez le 2e rang de la grille 7 ; avec A, 3 m. point de riz, puis tricotez le 2e rang de la grille 1 ; avec A, 3 m. point de riz.
Rangs 67 à 94 : tricotez comme du 7e au 34e rang.
Rang 95 : avec A, 3 m. point de riz, puis tricotez le 1er rang de la grille 9 ; avec A, 3 m. point de riz, puis tricotez le 1er rang de la grille 1 ; avec A, 3 m. point de riz, puis tricotez le 1er rang de la grille 2 ; avec A, 3 m. point de riz, puis tricotez le 1er rang de la grille 1 ; avec A, 3 m. point de riz, puis tricotez le 1er rang de la grille 3 ; avec A, 3 m. point de riz.
Rang 96 : avec A, 3 m. point de riz, puis tricotez le 2e rang de la grille 3 ; avec A, 3 m. point de riz, puis tricotez le 2e rang de la grille 1 ; avec A, 3 m. point de riz, puis tricotez le 2e rang de la grille 2 ; avec A, 3 m. point de riz, puis tricotez le 2e rang de la grille 1 ; avec A, 3 m. point de riz, puis tricotez le 2e rang de la grille 9 ; avec A, 3 m. point de riz.
Rangs 97 à 124 : tricotez comme du 7e au 34e rang.
Rang 125 : avec A, 3 m. point de riz, puis tricotez le 1er rang de la grille 1 ; avec A, 3 m. point de riz, puis tricotez le 1er rang de la grille 4 ; avec A, 3 m. point de riz, puis tricotez le 1er rang de la grille 1 ; avec A, 3 m. point de riz, puis tricotez le 1er rang de la grille 5 ; avec A, 3 m. point de riz, puis tricotez le 1er rang de la grille 1 ; avec A, 3 m. point de riz.
Rang 126 : avec A, 3 m. point de riz, puis tricotez le 2e rang de la grille 1 ; avec A, 3 m. point de riz, puis tricotez le 2e rang de la grille 5 ; avec A, 3 m. point de riz, puis tricotez le 2e rang de la grille 1; avec A, 3 m. point de riz, puis tricotez le 2e rang de la grille 4 ; avec A, 3 m. point de riz, puis tricotez le 2e rang de la grille 1; avec A, 3 m. point de riz.
Rangs 127 à 154 : tricotez comme du 7e au 34e rang.
Rang 155 : avec A, 3 m. point de riz, puis tricotez le 1er rang de la grille 6 ; avec A, 3 m. point de riz, puis tricotez le 1er rang de la grille 7 ; avec A, 3 m. point de riz, puis tricotez le 1er rang de la grille 1 ; avec A, 3 m. point de riz, puis tricotez le 1er rang de la grille 8 ; avec A, 3 m. point de riz.
Rang 156 : avec A, 3 m. point de riz, puis tricotez le 2e rang de la grille 8 ; avec A, 3 m. point de riz, puis tricotez le 2e rang de la grille 1; avec A, 3 m.

point de riz, puis tricotez le 2e rang de la grille 7 ; avec A, 3 m. point de riz, puis tricotez le 2e rang de la grille 1 ; avec A, 3 m. point de riz, puis tricotez le 2e rang de la grille 6 ; avec A, 3 m. point de riz.

Rangs 157 à 184 : tricotez comme du 7e au 34e rang.

Rang 185 : avec A, 3 m. point de riz, puis tricotez le 1er rang de la grille 1 ; avec A, 3 m. point de riz, puis tricotez le 1er rang de la grille 9 ; avec A, 3 m. point de riz, puis tricotez le 1er rang de la grille 1 ; avec A, 3 m. point de riz, puis tricotez le 1er rang de la grille 2 ; avec A, 3 m. point de riz, puis tricotez le 1er rang de la grille 1 ; avec A, 3 m. point de riz.

Rang 186 : avec A, 3 m. point de riz, puis tricotez le 2^e rang de la grille 1 ; avec A, 3 m. point de riz, puis tricotez le 2e rang de la grille 2 ; avec A, 3 m. point de riz, puis tricotez le 2e rang de la grille 1 ; avec A, 3 m. point de riz, puis tricotez le 2e rang de la grille 9 ; avec A, 3 m. point de riz, puis tricotez le 2e rang de la grille 1 ; avec A, 3 m. point de riz.

Rangs 187 à 214 : tricotez comme du 7e au 34e rang.

Avec A, rabattez les m. au point de riz. Brodez les pattes des poussins au point de piqûre.

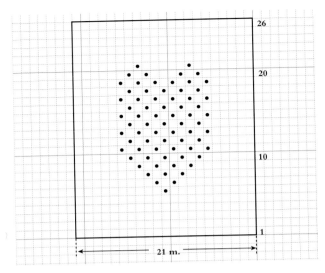

GRILLE 1

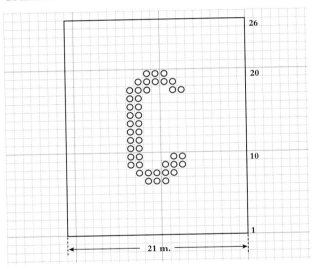

GRILLE 2

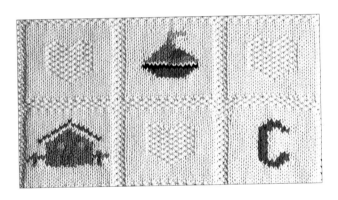

SYMBOLES GRILLE 1

☐   avec A, endroit sur l'endroit, envers sur l'envers

⦿   avec A, envers sur l'endroit, endroit sur l'envers

SYMBOLES GRILLES
2, 3, 4, 5, 6, 7, 8 et 9

Ⓞ	Rouge	
✖	Bleu	
●	Jaune	endroit sur l'endroit, envers sur l'envers
◢	Bleu marine	
▽	Brun	

⟵   Broderie au point de piqûre

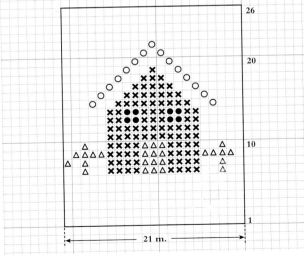

GRILLE 3

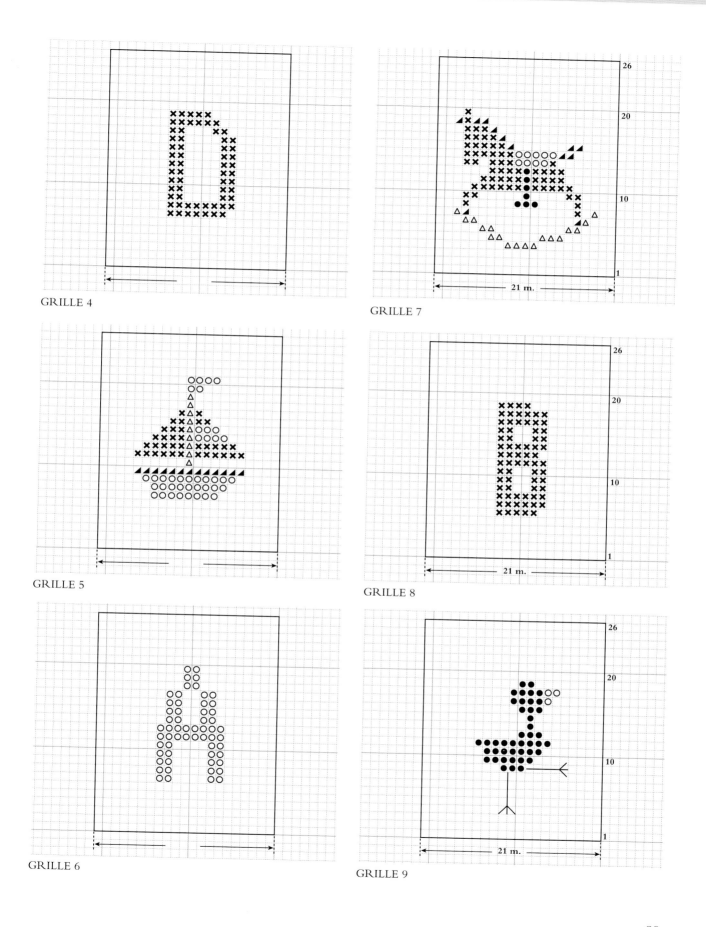

GRILLE 4

GRILLE 7

GRILLE 5

GRILLE 8

GRILLE 6

GRILLE 9

Modèle 10 : cardigan Jacquard

Le motif de ce modèle est une simple répétition des mêmes huit mailles. Suivez bien la ligne de la grille correspondant à votre taille et à la partie de l'ouvrage que vous tricotez.

• Fournitures

7 (9) pelotes de 50 g de coton brillant Rowan coloris écru (A) (Cotton Glace).

3 (4) pelotes de même qualité beiges.

2 (3) pelotes de même qualité vert foncé (B) et bleues.

1 (2) pelotes de même qualité rose foncé et rose clair.

1 paire d'aiguilles n° 3.

1 paire d'aiguilles n° 3,5.

• Mesures du vêtement

Votre tour de poitrine	81-86	91-97	cm
Tour de poitrine (cardigan)	105	118	cm
Longueur	52	56	cm
Longueur des manches	48	48	cm

• Échantillon

10 x 10 cm = 26 m. et 30 rangs de jacquard, aiguilles n° 3,5.

• Abréviations

Voir page 158.

• Notes

Lisez la grille de droite à gauche pour les rangs à l'endroit, et de gauche à droite pour les rangs à l'envers.

Lorsque vous tricotez du jacquard, faites onduler souplement les fils que vous n'utilisez pas sur l'envers pour que le tricot garde son élasticité.

Dos

Avec les aig. n° 3 et le fil B, montez 137 (153) m.

1er rang de côtes (endroit) : 1 m. end., *1 m. env., 1 m. end.*, tout le rang. Ajouter le fil A.

2e rang de côtes : 1 m. env., *1 m. end., 1 m. env.*, tout le rang. Tricotez encore 6 rangs de côtes.

Prenez les aig. n° 3,5.

En commençant par 1 rang à l'endroit, jersey endroit, suivez la grille jusqu'à une hauteur totale du dos de 50 (54) cm, en terminant avec 1 rang à l'envers.

• Encolure

Rang suiv. : faites 51 (57) m. en suivant le motif, tournez l'ouvrage. Tricotez seulement ce groupe de m. pour former le côté droit de l'encolure du dos. Aux 5 rangs suiv., en respectant le motif, diminuez 1 m. côté encolure. Vous obtenez 46 (52) m.

• Épaule

Rabattez 15 (17) m. au début du rang suiv. et du 2e rang d'après. Tricotez 1 rang. Rabattez les 16 (18) m. restantes.

L'endroit vers vous, glissez les 35 (39) m. centrales sur un arrête-mailles, ajoutez le fil aux m. restantes pour le côté gauche de l'encolure du dos et terminez en respectant le motif. Tricotez 1 rang de motifs.

Finissez comme indiqué pour le côté droit de l'encolure du dos.

Devant gauche

Avec les aig. n° 3 et le fil B, montez 67 (75) m.

1er rang de côtes (endroit) : 1 m. env., *1 m. end., 1 m. env.*, tout le rang. Ajoutez le fil A.

2e rang de côtes : 1 m. end., *1 m. env., 1 m. end.*, tout le rang.

Faites encore 6 rangs de côtes.

Prenez les aig. n° 3,5.

En commençant par 1 rang à l'endroit, tricotez en suivant la grille jusqu'à une hauteur totale de 34 (36) cm, en terminant par 1 rang à l'envers.

• Encolure

En respectant le motif, faites 1 dim. à la fin du rang suiv. et ensuite tous les 2 rangs jusqu'à ce que vous obteniez 46 (52) m. Continuez tout droit jusqu'à ce que le devant corresponde au dos à hauteur des épaules ; terminez par 1 rang à l'envers.

• Épaule

Rabattez 15 (17) m. au début du rang suiv. et du 2e rang d'après. Tricotez 1 rang. Rabattez les 16 (8) m. rest.

Devant droit

Travaillez comme indiqué pour le devant gauche, en inversant augmentations et diminutions.

Manches

Avec les aig. n° 3 et le fil B, montez 53 (61) m.

Faites des côtes comme indiqué pour le 1er rang du dos. Ajoutez le fil A et tricotez encore 7 rangs de côtes, en répartissant régulièrement 4 aug. sur le dernier rang. Vous obtenez 57 (65) m.

Prenez les aig. n° 3,5.

En commençant par 1 rang à l'endroit, suivez la grille comme indiqué pour le dos. Faites 1 aug. au début et à la fin du rang, tous les 3 rangs 7 (8) fois, puis tous les 4 rangs jusqu'à ce que vous obteniez 113 (129) m. tout en intégrant les aug. au motif. Travaillez tout droit jusqu'à une hauteur totale de manche de 48 cm. Terminez par 1 rang à l'envers et rabattez les m.

Bande d'encolure du dos

L'endroit vers vous, avec les aig. n° 3 et le fil A, relevez 8 m. sur le côté droit de l'encolure, tricotez les m. centrales et relevez 8 m. sur le côté gauche. Vous obtenez 51 (55) m.

Commencez par un 2ᵉ rang de côtes, tricotez 6 rangs de côtes comme indiqué pour le devant gauche. Ajoutez le fil B et faites 1 rang de côtes. Rabattez les m., en côtes, avec B.

Bande avec boutonnières

L'endroit devant vous, avec les aig. n° 3 et le fil A, relevez 100 (105) m. sur le bord droit du devant droit et 57 (62) m. sur le bord de l'encolure. Vous obtenez 157 (167) m.

Commencez par un 2ᵉ rang de côtes et faites 3 rangs de côtes comme indiqué pour la bande d'encolure du dos.

Rang avec boutonnières : 3 m. de côtes, 2 m. ens. à l'env., passez le fil autour de l'aig., ★16 (18) m. de côtes, 2 m. ens. à l'env., passez le fil autour de l'aig.★ 5 fois ; terminez avec des côtes.

Tricotez encore 2 rangs de côtes. Ajoutez le fil B et tricotez 1 rang de côtes. Rabattez les m., en côtes, avec le fil B.

Bande avec boutons

L'endroit devant vous, avec les aig. n° 3 et le fil A, relevez 57 (62) m. sur le bord de l'encolure du devant gauche et 100 (105) m. sur le bord droit du devant. Vous obtenez 157 (167) m.

Commencez par un 2ᵉ rang de côtes et faites 6 rangs de côtes comme indiqué pour la bande d'encolure du dos. Ajoutez le fil B et faites 1 rang de côtes. Rabattez les m. avec le fil B.

Montage

Cousez les épaules et les bandes. Marquez les emmanchures à 22 (25) cm environ sous les épaules, sur les bords latéraux du dos et des devants. Cousez le haut des manches entre les repères. Cousez les côtés et fermez les manches. Cousez les boutons.
(Voir aussi l'atelier des finitions).

SYMBOLES

- ☐ Écru (A)
- ▪ Beige
- ╱ Vert foncé (B)
- ⋀ Bleu
- ◣ Rose foncé
- ✖ Rose clair

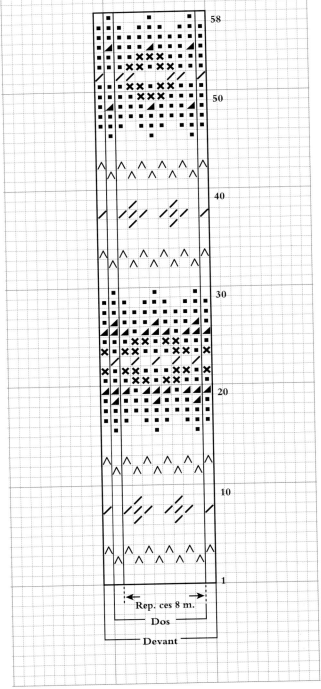

Modèle 11 : pull Jacquard pour enfant

Ce pull d'enfant fait appel aux deux techniques de mise en couleur : le jacquard et les motifs isolés.
Il présente des côtes bicolores avec un roulotté de jersey.

• Fournitures

5 (6 ; 7) pelotes de 50 g de coton à tricoter Rowan bleu marine (A)
(DK Handknit Cotton).
2 (2 ; 3) pelotes de bleu roi (B).
1 (1 ; 2) pelotes de vert clair et de bleu clair.
1 pelote de chacun des coloris suivants : rouge, rose, mauve, écru
et jaune.
1 paire d'aiguilles n° 3,5.
1 paire d'aiguilles n° 4.

• Mesures du vêtement

Âge	4-6	7-9	10-12	ans
Tour de poitrine (pull)	90	100	112	cm
Longueur	41	49	54	cm
Longueur des manches	31	38	43	cm

• Échantillon

10 x 10 cm = 22 m. et 25 rangs de motifs en couleur, aiguilles n° 4.

• Abréviations

Voir page 158.

• Notes

Suivez la grille de droite à gauche pour les rangs à l'endroit, et de gauche
à droite pour les rangs à l'envers.
Lorsque vous tricotez les côtes bicolores, les bandes de jacquard ou à fleurs,
faites onduler souplement les fils non utilisés sur l'envers pour conserver
l'élasticité du tricot.
Pour les parties écossaises et les fleurs, utilisez des fils de couleur pour
chaque zone et croisez les fils sur l'envers au moment du changement de
couleur pour éviter les trous.
Quand vous faites une partie mixte du modèle, associez les deux
méthodes : laissez flotter la couleur principale et celle des losanges jaunes,
par exemple, et utilisez des petites longueurs pour les diagonales rouges
et bleues.

Dos et devant semblables

Avec les aig. n° 3,5 et le fil A, montez 98 (110 ; 122) m.
Commencez par 1 rang à l'endroit, faites 4 rangs de jersey.
Ajoutez le fil B.
1er rang de côtes (endroit) : 2 m. env. A, ★2 m. end. B, 2 m. env. A★, tout
le rang.
2e rang de côtes : 2 m. end. A, ★2 m. env. B, 2 m. end. A★, tout le rang.
Rep. ces 2 rangs encore 2 fois ; 1 aug. au milieu du dernier rang.
Vous obtenez 99 (111 ; 123) m.
Prenez les aig. n°4.
Commencez par 1 rang à l'endroit, tricotez le motif en couleur.
Faites 86 (106 ; 118) rangs, en suivant la grille.

• Encolure

Rang suivant : tricotez 38 (42 ; 46) m. du motif, tournez.
Ne tricotez que ces mailles-là pour le 1er côté de l'encolure. En respectant
le motif, rabattez 2 m. au début du rang suiv. Faites 1 dim. au bord de
l'encolure sur les 6 rangs suiv. Vous obtenez 30 (34 ; 38) m.

• Épaule

Continuez avec A seulement. Rabattez 15 (17 ; 19) m. au début du rang
suiv. Tricotez 1 rang. Rabattez les 15 (17 ; 19) m. restantes.
L'endroit vers vous, glissez 23 (27 ; 31) m. du centre sur un arrête-mailles ;
rajoutez du fil aux m. restantes pour le 2e côté de l'encolure, travaillez le
motif jusqu'à la fin du rang. Faites 1 rang du motif. Terminez comme
indiqué pour le 1er côté.

Manches

Avec les aig. n° 3,5 et le fil A, montez 46 (50 ; 57) m.
Commencez par 1 rang à l'endroit, puis faites 4 rangs de jersey.
Ajoutez B. Tricotez 5 cm de côtes bicolores comme indiqué pour le dos
et le devant. Terminez par un 2e rang de côtes et répartissez 3 (1 ; 3) aug.
régulièrement sur le dernier rang. Vous obtenez 49 (51 ; 57) m.
Prenez les aig. n° 4.
Commencez par 1 rang à l'endroit et tricotez au point de jersey en suivant
la grille. Faites 1 aug. au début et à la fin du 3e rang, puis tous les
4 (5 ; 6) rangs, jusqu'à ce que vous obteniez 73 (79 ; 85) m. Intégrez les aug.
au motif. Faites 15 (14 ; 13) rangs tout droit. Rabattez souplement.

Col

Cousez l'épaule droite. L'endroit vers vous et avec les aig. n° 4, relevez, en
tricotant avec le fil A, 10 m. sur le côté gauche de l'encolure du devant,
tricotez les m. centrales, relevez 10 m. sur le côté droit de l'encolure, 10 m.
sur le côté droit de l'encolure du dos, tricotez les m. centrales et relevez 10 m.
sur le côté gauche de l'encolure du dos. Vous obtenez 86 (94 ; 102) m. Ajoutez
le fil B et, en commençant par un 2e rang de côtes, tricotez 4 rangs de côtes
bicolores comme indiqué pour le dos et le devant. Continuez avec A seulement.

En commençant par 1 rang à l'envers, tricotez 4 rangs de jersey. Rabattez souplement à l'envers.

Montage

Cousez l'épaule gauche et le col en inversant la couture sur la partie en jersey du col. Sur les bords latéraux du dos et du devant, marquez l'emplacement des emmanchures à 17 (18 ; 19) cm sous les épaules. Cousez le haut des manches entre les repères. Fermez les côtés et les manches en inversant la couture sur les premiers et derniers 4 rangs. (Voir aussi l'atelier des finitions).

SYMBOLES

- ☐ Bleu marine (A)
- ■ Bleu roi (B)
- Ⓞ Vert clair
- ◪ Bleu clair
- ✖ Rouge
- △ Rose
- ∨ Mauve
- ⊖ Écru
- ◳ Jaune
- ● Avec le fil écru, faites des mouches : tricotez la m. suiv. à l'endroit, par devant, par derrière, par devant et par derrière, rabattez la 2e, 3e et 4e m. sur la 1re.

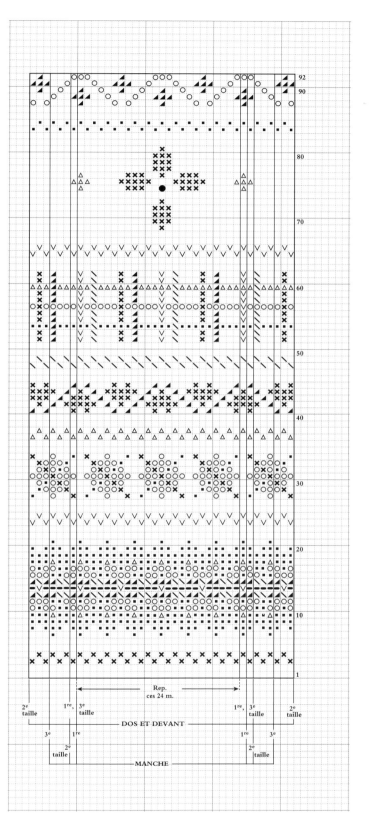

CHAPITRE CINQ

L'atelier des points dentelle

J'AI ÉVITÉ pendant longtemps de tricoter des points dentelle car j'estimais que ces motifs délicats ne correspondaient pas vraiment à mon style et, surtout, qu'ils devaient être très compliqués à exécuter. Et puis j'ai découvert des motifs de points ajourés accessibles aux débutantes, et je me suis rendu compte que, bien utilisés, ces points pouvaient être vraiment jolis. Tricotés en bordure d'un col ou de poignets ou encore placés entre des torsades pour les alléger, ils ajoutent un plus indéniable à un modèle simple.

Deux modèles sont présentés dans cet atelier. Le premier est une bordure de dentelle aussi bien adaptée à un vêtement qu'à un tour de coussin ou de nappe. Le second est une tunique ajourée très facile à réaliser, tricotée avec un coton fin qui fait bien ressortir le point dentelle.

Une fois que vous maîtriserez les points simples, exercez-vous à tricoter des motifs plus compliqués (voir pp. 102-109) : vous constaterez que la technique de base reste quasiment la même, les jours étant toujours formés en faisant passer le fil par-dessus l'aiguille.

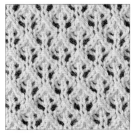

Les jetés

Dans ce type de tricot, les mailles et les jours sont créés en formant des boucles, ou jetés, autour de l'aiguille. Ici, les jetés sont réalisés entre 2 mailles, la maille suivant la boucle pouvant varier.

Maille jetée envers (jeté env.)

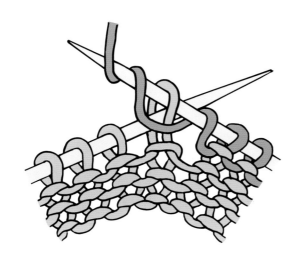

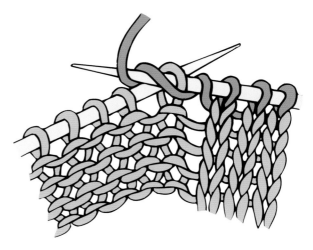

Ce jeté (ci-dessus) se fait entre 2 mailles envers. Passez le fil sur la pointe de l'aiguille droite, en dessous et en avant, puis tricotez la maille suivante à l'envers.

Ce jeté (ci-dessus) se fait entre 1 maille endroit et 1 maille envers. Passez le fil devant, sous l'aiguille droite, sur la pointe de l'aiguille, vers l'arrière et sous l'aiguille vers l'avant, puis tricotez la maille suivante à l'envers.

Maille jetée endroit (jeté end.)

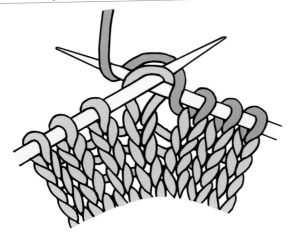

Ce jeté se fait entre 2 mailles endroit. Passez le fil devant sous l'aiguille droite, puis tricotez la maille suivante à l'endroit, en passant le fil sur la pointe de l'aiguille.

Maille jetée endroit entre maille envers et maille endroit

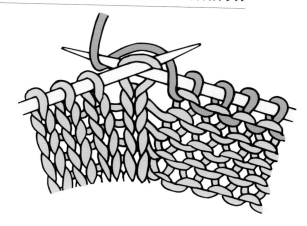

Jeté double

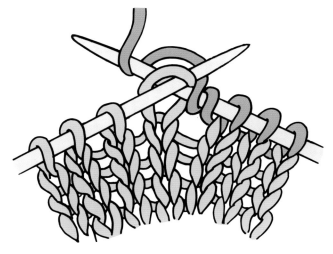

Ce jeté se fait entre 1 maille envers et 1 maille endroit. Passez le fil par-dessus la pointe de l'aiguille droite puis tricotez la maille suivante à l'endroit. L'abréviation est : jeté end. entre m. env. et m. end.

Ce jeté se fait entre 2 mailles à l'endroit. Ramenez le fil en avant, sous l'aiguille droite, passez-le par-dessus la pointe de l'aiguille et en dessous ; ramenez-le devant, par-dessus la pointe de l'aiguille, puis tricotez la maille suivante.

CONSEIL : LES POINTS AJOURÉS

Les jetés sont très utilisés dans les points dentelle où l'on crée des jours qui compensent les mailles tricotées ensemble. La façon de passer le fil sur l'aiguille dépend des mailles situées des deux côtés du jour, qu'elles soient tricotées à l'endroit, à l'envers ou des deux manières. Les choses se compliquent lorsque le motif de dentelle est mis en forme sur les côtés. S'il n'y a pas d'explication pour chaque rang, la tricoteuse doit veiller à bien respecter le motif. Voici mon conseil : dans la plupart des cas, un jeté est compensé par une diminution (2 m. ens.). Lorsque vous tricotez en donnant une forme, considérez jeté et m. ens. comme une paire : ne faites pas de jetés sans avoir assez de mailles pour les diminutions, et inversement. Après chaque rang, vérifiez que vous avez le bon nombre de mailles et que jetés et diminutions sont en bonne place au-dessus du rang précédent. S'il n'y a pas assez de mailles pour faire le motif, tricotez la fin du rang avec le point de base. Lorsque le patron ne prévoit que quelques diminutions, placez un repère à la fin de la première reprise du motif, à partir du bord. À la fin de chaque rang avec diminution, assurez-vous que les parties marquées d'un repère comportent le nombre de mailles requis.

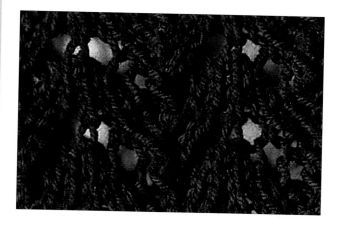

Ci-dessus : *je choisis souvent des couleurs foncées (ici, un détail de la tunique présentée p. 112) ou neutres pour les points dentelle, car je trouve que les tons pastel donnent un résultat un peu démodé pour ce type de tricots.*

Méthodes de diminutions

En dehors de la diminution simple (voir p. 20), il existe d'autres types de diminutions,
un peu plus complexes mais nécessaires pour réaliser certaines formes et certains points.

Trois mailles ensemble à l'endroit

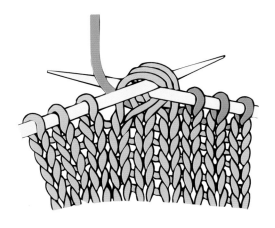

Piquez l'aiguille droite, de gauche à droite, à travers le devant de 3 mailles, puis tricotez-les ensemble (3 m. ens. end.).

Trois mailles ensemble à l'envers

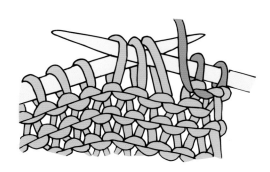

Piquez l'aiguille droite, de droite à gauche, à travers le devant de 3 mailles, puis tricotez-les ensemble (3 m. ens. env.).

Deux mailles torses ensemble à l'endroit

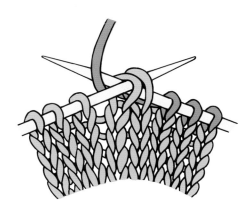

Elle ressemble à la diminution simple (voir p. 20), mais les mailles sont tricotées ensemble à travers le dos des boucles, ce qui les tord. Piquez l'aiguille droite, de droite à gauche, à travers le dos de 2 mailles, puis tricotez-les ensemble à l'endroit (2 m. torses. ens. end.)

Deux mailles torses ensemble à l'envers

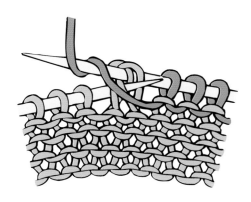

Sur 1 rang à l'envers, les mailles sont tricotées ensemble à l'envers, à travers le dos des boucles – ce qui est un peu difficile. Piquez l'aiguille droite, de gauche à droite, à travers le dos de 2 mailles, puis tricotez-les ensemble à l'envers (2 m. torses. ens. env.).

Une m. glissée, 1 m. end., rabattez la m. glissée sur celle-ci (surj. simple end.)

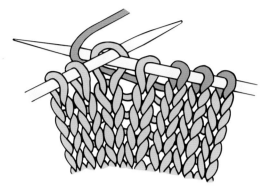

1 Piquez l'aiguille droite, comme pour tricoter à l'endroit, dans la 1re maille de gauche ; glissez-la sur l'aiguille droite sans la tricoter, puis tricotez la maille suivante à l'endroit.

2 Avec l'aiguille gauche, rabattez la maille glissée sur la maille tricotée et faites-la tomber de l'aiguille. Cela s'appelle surjet simple end.

Une m. glissée, 2 m. ens., rabattez la m. glissée sur celle-ci (surj. double end.)

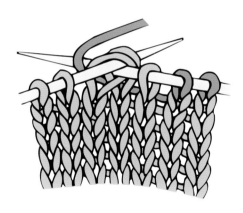

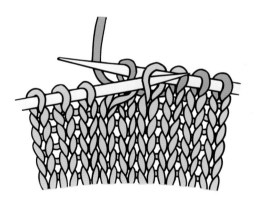

1 Piquez l'aiguille droite, comme pour tricoter à l'endroit, dans la 1re maille de gauche ; glissez-la sur l'aiguille droite sans la tricoter, puis tricotez les 2 mailles suivantes ensemble à l'endroit.

2 Avec l'aiguille gauche, rabattez la maille glissée sur les 2 mailles tricotées ensemble et faites-la tomber de l'aiguille. Cela s'appelle surjet double end.

CONSEIL : LES DIMINUTIONS

En général, quand les explications indiquent une diminution, vous pouvez utiliser la méthode simple (voir p. 20). Pour certains modèles, les diminutions doivent être soignées car elles restent visibles sur le modèle fini. Dans ce cas, les instructions recommandent l'une ou l'autre des méthodes exposées sur ces deux pages. Résistez à la tentation d'utiliser la méthode simple, car la qualité de votre ouvrage terminé en pâtirait.

La famille des points dentelle

Dans cette famille de points, vous apprendrez à réaliser des jours tout simples, mais aussi des motifs plus élaborés associant le point dentelle à d'autres techniques telles que les torsades. Vous trouverez aussi des instructions pour tricoter des motifs en panneaux à intégrer à des tricots simples.

Plume et chevron

Nombre de m. divisible par 13 + 1 m.
Rang 1 (endroit) : 1 m. end., ★1 jeté end., 4 m. end., 2 m. ens. end., 1 surjet, 4 m. end., 1 jeté end., 1 m. end.★, tout le rang.
Rang 2 : à l'envers.
Rep. ces 2 rangs.

Torsades et jours échelle

Nombre de m. divisible par 7 + 6 m.
Rang 1 : 1 m. end., ★2 m. ens., 1 jeté double end., 1 surjet, 3 m. end.★ jusqu'aux 5 dernières m. : 2 m. ens. end., 1 jeté double end., 1 surjet, 1 m. end.
Rang 2 : 2 m. end., ★tricotez le jeté double du rang précédent par devant et par derrière, 1 m. end., 3 m. env., 1 m. end.★ jusqu'aux 4 dernières m. : tricotez le jeté double du rang précédent par devant et par derrière, 2 m. end.
Rang 3 : 1 m. end., ★2 m. ens. end., 1 jeté double end., 1 surjet, tricotez dans le dev. de la 3e m. de l'aig. gauche, puis de la 2e, puis tricotez la 1re m., faites glisser ens. les 3 m. de l'aig. gauche★

jusqu'aux 5 dernières m. : 2 m. ens. end., 1 jeté double end., 1 surjet, 1 m. end.
Rang 4 : comme rang 2.
Rep. ces 4 rangs.

Semis de petits jours

Nombre de m. divisible par 3 + 2 m.
Rang 1 (endroit) : à l'endroit.
Rang 2 : à l'envers.
Rang 3 : 2 m. end., ★1 jeté end., 2 m. ens. end., 1 m. end.★, tout le rang.
Rang 4 : à l'envers.
Rep. ces 4 rangs.

Chevron ajouré

Nombre de m. divisible par 7 + 2 m.
Rang 1 (endroit) : 2 m. end., ★2 m. ens. end., 1 jeté end., 1 m. end., 1 jeté end., 1 surjet, 2 m. end.★, tout le rang.
Rang 2 : à l'envers.
Rang 3 : 1 m. end., ★2 m. ens. end., 1 jeté end., 3 m. end., 1 jeté end., 1 surjet★ jusqu'à la dernière m. : 1 m. end.
Rang 4 : à l'envers.
Rep. ces 4 rangs.

Fagots

Nombre de m. divisible par 3.

Le nombre de m. varie sur certains rangs.

Rang 1 (endroit) : ★1 m. end., 1 jeté double end., 2 m. ens. end.★, tout le rang.

Rang 2 : 1 m. env., ★1 m. env. dans le jeté double du rang précédent en laissant tomber le jeté sup. de l'aig., 2 m. env.★ jusqu'aux 3 dernières m. : 1 m. env. dans le jeté double du rang précédent en laissant tomber le jeté sup. de l'aig., 1 m. env.

Rang 3 : ★2 m. ens. end., 1 jeté double end., 1 m. end.★, tout le rang.

Rang 4 : comme rang 2.

Rep. ces 4 rangs.

Flots

Nombre de m. divisible par 13 + 2 m.

Note : le nombre de m. varie sur certains rangs à cause du motif. Ne les comptez pas avant le 5e ou le 6e rang.

Rang 1 (endroit) : 1 m. end., ★1 surjet, 9 m. end., 2 m. ens. end.★ jusqu'à la dernière m. : 1 m. end.

Rang 2 : à l'envers.

Rang 3 : 1 m. end., ★1 surjet, 7 m. end., 2 m. ens.★ jusqu'à la dernière m. : 1 m. end.

Rang 4 : à l'envers.

Rang 5 : 1 m. end.,★1 surjet, 1 jeté end., (1 m. end., 1 jeté end.) 5 fois, 2 m. ens. end. ; rep. à ★ jusqu'à la dernière m. : 1 m. end.

Rang 6 : à l'endroit.

Rep. ces 6 rangs.

Vagues

Nombre de m. divisible par 18 + 2 m.

Rang 1 (endroit) : à l'endroit.

Rang 2 : à l'envers.

Rang 3 : 1 m. end.,★(2 m. ens. end.) 3 fois, (1 jeté end., 1 m. end.) 6 fois, (2 m. ens. end.) 3 fois ; rep. à ★ jusqu'à la dernière m. : 1 m. end.

Rang 4 : à l'endroit.

Rep. ces 4 rangs.

Vagues bicolores

Travaillez comme pour les **Vagues**.

Tricotez 4 rangs avec le fil A et 4 rangs avec le fil B.

Rep. ces 8 rangs.

Jours en cellules

Nombre de m. divisible par 4 + 3 m.

Rang 1 (endroit) : 2 m. end., ★1 jeté end., 1 m. glissée, 2 m. ens. end., 1 surjet, 1 jeté end.,1 m. end.★ jusqu'à la dernière m. : 1 m. end.

Rang 2 : à l'envers.

Rang 3 : 1 m. end., 2 m. ens. end., 1 jeté end., 1 m. end., ★1 jeté end., 1 surjet, 1 jeté end., 1 m. end.★ jusqu'aux 3 dernières m. : 1 jeté end., 1 surjet, 1 m. end.

Rang 4 : à l'envers.

Rep. ces 4 rangs.

Plumes

Nombre de m. divisible par 6 +1 m.

Rang 1 (endroit) : 1 m. end., *1 jeté end., 2 m. ens. torses end.,
1 m. end., 2 m. ens., 1 jeté end., 1 m. end.*, tout le rang.

Rang 2 et tous les rangs pairs : à l'envers.

Rang 3 : 1 m. end., *1 jeté end., 1 m. end., 1 surjet double end., 1 m. end.,
1 jeté end., 1 m. end.*, tout le rang.

Rang 5 : 1 m. end., *2 m. ens. end., 1 jeté end., 1 m. end., 1 jeté end.,
2 m. ens. torses end., 1 m. end.*, tout le rang.

Rang 7 : 2 m. ens. end., *(1 m. end., 1 jeté end.) 2 fois, 1 m. end.,1 surjet
double end. ; rep. à * jusqu'aux 5 dernières m. : *1 m. end., 1 jeté end.*
2 fois, 1 m. end., 2 m. ens. torses end.

Rang 8 : à l'envers.

Rep. ces 8 rangs.

Fers à cheval

Nombre de m. divisible par 10 + 1 m.

Rang 1 (envers) : à l'envers.

Rang 2 : 1 m. end., *1 jeté end., 3 m. end., 1 surjet double end., 3 m. end.,
1 jeté end., 1 m. end.*, tout le rang.

Rang 3 : à l'envers.

Rang 4 : 1 m. env., *1 m. end., 1 jeté end., 2 m. end., 1 surjet double end.,
2 m. end., 1 jeté end., 1 m. end., 1 m. env.*, tout le rang.

Rang 5 : 1 m. end., *9 m. env., 1 m. end.*, tout le rang.

Rang 6 : 1 m. env., *2 m. end., 1 jeté end., 1 m. end., 1 surjet double end.,
1 m. end., 1 jeté end., 2 m. end., 1 m. env.*, tout le rang.

Rang 7 : comme rang 5.

Rang 8 : 1 m. env., *3 m. end., 1 jeté end., 1 surjet double end.,
1 jeté end., 3 m. end., 1 m. env.*, tout le rang.

Rep. ces 8 rangs.

Jours en diagonale

Nombre de m. divisible par 4 + 2 m.

Rang 1 (endroit) : *1 m. end., 1 jeté end., 1 surjet double end.,
1 jeté end.* jusqu'aux 2 dernières m. : 2 m. end.

Rang 2 et tous les rangs pairs : à l'envers.

Rang 3 : 2 m. end., *1 jeté end., 1 surjet double end., 1 jeté end.,
1 m. end.*, tout le rang.

Rang 5 : 2 m. ens. end., 1 jeté end., 1 m. end., *1 jeté end., 1 surjet
double, 1 jeté end., 1 m. end.* jusqu'aux 3 dernières m. : 1 jeté end.,
1 surjet, 1 m. end.

Rang 7 : 1 m. end., 2 m. ens. end., 1 jeté end., 1 m. end.,*1 jeté end.,
1 surjet double end., 1 jeté end., 1 m. end.* jusqu'aux 2 dernières m. :
1 jeté end., 1 surjet.

Rang 8 : à l'envers.

Rep. ces 8 rangs.

Cascade de feuilles

Bande de 14 m. sur fond de jersey envers.

Rang 1 (endroit) : 3 m. end., 2 m. ens. end., 1 m. end., 1 jeté env.,
2 m. env., 1 jeté, 1 m. end., 1 surjet, 3 m. end.

Rang 2 et tous les rangs pairs : 6 m. env., 2 m. end., 6 m. env.

Rang 3 : 2 m. end., 2 m. ens. end., 1 m. end., 1 jeté end., 1 m. end.,
2 m. env., 1 m. end., 1 jeté end., 1 m. end., 1 surjet, 2 m. end.

Rang 5 : 1 m. end., 2 m. ens. end., 1 m. end., 1 jeté end., 2 m. end.,
2 m. env., 2 m. end., 1 jeté, 1 m. end., 1 surjet, 1 m. end.

Rang 7 : 2 m. ens. end., 1 m. end., 1 jeté end., 3 m. end., 2 m. env.,
3 m. end., 1 jeté end., 1 m. end., 1 surjet.

Rang 8 : 6 m. env., 2 m. end., 6 m. env.

Rep. ces 8 rangs.

Chevrons à jours

Nombre de m. divisible par 12 + 1 m.

Note : tous les jetés et les surjets sont à l'endroit.

Rang 1 (endroit) : 4 m. end., ★2 m. ens. end., 1 jeté, 1 m. end., 1 jeté, 1 surjet, 7 m. end.★ jusqu'aux 9 dernières m. : 2 m. ens. end., 1 jeté, 1 m. end., 1 jeté, 1 surjet, 4 m. end.

Rang 2 et tous les rangs pairs : à l'envers.

Rang 3 : 3 m. end., ★2 m. ens. end., 1 jeté, 3 m. end., 1 jeté, 1 surjet, 5 m. end.★ jusqu'aux 10 dernières m. : 2 m. ens. end., 1 jeté, 3 m. end., 1 jeté, 1 surjet, 3 m. end.

Rang 5 : 2 m. end., ★2 m. ens. end., 1 jeté, 5 m. end., 1 jeté, 1 surjet, 3 m. end.★ jusqu'aux 11 dernières m. : 2 m. ens. end., 1 jeté, 5 m. end., 1 jeté, 1 surjet, 2 m. end.

Rang 7 : 1 m. end., ★2 m. ens. end., 1 jeté, 7 m. end., 1 jeté, 1 surjet, 1 m. end.★, tout le rang.

Rang 9 : 2 m. ens. end., 1 jeté, 9 m. end., ★1 jeté, 1 surjet double, 1 jeté, 9 m. end.★ jusqu'aux 2 dernières m. : 1 jeté, 1 surjet.

Rang 10 : à l'envers.

Rep. ces 10 rangs.

Treillis à jours

Nombre de m. divisible par 8 + 3 m.

Note : le nombre de m. varie sur certains rangs. Tous les jetés et les surjets sont à l'endroit.

Il ne faut compter les m. qu'après les 5e, 6e, 11e et 12e rangs.

Rang 1 (endroit) : 1 m. end., ★ 2 m. ens. end., 1 m. end., 1 jeté, 1 m. end., 1 surjet, 2 m. end.★ jusqu'aux 2 dernières m. : 2 m. end.

Rang 2 et tous les rangs pairs : à l'envers.

Rang 3 : ★2 m. ens. end., 1 m. end., (1 jeté, 1 m. end.) 2 fois, 1 surjet ; rep. à ★ jusqu'aux 3 dernières m. : 3 m. end.

Rang 5 : 2 m. end., ★1 jeté, 3 m. end., 1 jeté, 1 m. end., 1 surjet, 1 m. end.★ jusqu'à la dernière m. : 1 m. end.

Rang 7 : 4 m. end., ★2 m. ens. end., 1 m. end., 1 jeté, 1 m. end., 1 surjet, 2 m. end.★ jusqu'aux 7 dernières m. : 2 m. ens. end., 1 m. end., 1 jeté, 1 m. end., 1 surjet, 1 m. end.

Rang 9 : 3 m. end., ★2 m. ens. end., 1 m. end., (1 jeté, 1 m. end.) 2 fois, 1 surjet★, tout le rang.

Rang 11 : 2 m. end., ★2 m. ens. end., 1 m. end., 1 jeté, 3 m. end., 1 jeté, 1 m. end.★ jusqu'à la dernière m. : 1 m. end.

Rang 12 : à l'envers.

Rep. ces 12 rangs.

Branches et bourgeons

Bande de 16 m. sur fond de jersey endroit.

Note : tous les jetés et les surjets sont à l'endroit.

Abréviation : mouche = tricotez 3 m. endroit par devant, par derrière, par devant dans la m. suivante, tournez, 3 m. endroit, tournez, 3 m. envers, tournez, 3 m. endroit, tournez, puis 1 surjet double.

Rang 1 (endroit) : 2 m. end., 1 jeté, 3 m. ens. end., 1 jeté, 3 m. end., 1 jeté, 1 surjet double, 1 jeté, continuez à l'end.

Rang 2 et tous les rangs pairs : à l'envers.

Rang 3 : 1 m. end., 1 jeté, 3 m. ens. end., 1 jeté, 5 m. end., 1 jeté, 1 surjet double, 1 jeté, continuez à l'end.

Rang 5 : mouche, 5 m. end., 1 jeté, 3 m. ens. end., 1 jeté, 1 m. end., 1 jeté, 1 surjet double, 1 jeté, continuez à l'end.

Rang 7 : 5 m. end., 1 jeté, 3 m. ens. end., 1 jeté, 3 m. end., 1 jeté, 1 surjet double, 1 jeté, continuez à l'end.

Rang 9 : 4 m. end., 1 jeté, 3 m. ens. end., 1 jeté, 5 m. end., 1 jeté, 1 surjet double, 1 jeté, mouche.

Rang 11 : 3 m. end., 1 jeté, 3 m. ens. end., 1 jeté, 1 m. end., 1 jeté, 1 surjet double, 1 jeté, continuez à l'end.

Rang 12 : à l'envers.

Rep. ces 12 rangs.

Zigzag ajouré

Bande de 9 m. sur fond de jersey endroit.

Note : tous les jetés et les surjets sont à l'endroit.

Rang 1 (endroit) : 3 m. env., 1 surjet, 1 jeté, 2 m. ens. end., 1 jeté, 2 m. end.

Rang 2 et tous les rangs pairs : à l'envers.

Rang 3 : 2 m. end., 1 surjet, 1 jeté, 2 m. ens. end., 1 jeté, 3 m. end.

Rang 5 : 1 m. end., 1 surjet, 1 jeté, 2 m. ens. end., 1 jeté, 4 m. end.

Rang 7 : 1 surjet, 1 jeté, 2 m. ens. end., 1 jeté, 5 m. end.

Rang 9 : 2 m. end., 1 jeté, 1 surjet, 1 jeté, 2 m. ens. end., 3 m. end.

Rang 11 : 3 m. end., 1 jeté, 1 surjet, 1 jeté, 2 m. ens. end., 2 m. end.

Rang 13 : 4 m. end., 1 jeté, 1 surjet, 1 jeté, 2 m. ens. end., 1 m. end.

Rang 15 : 5 m. end., 1 jeté, 1 surjet, 1 jeté, 2 m. ens. end.

Rang 16 : à l'envers

Rep. ces 16 rangs.

Chute des feuilles

Nombre de m. divisible par 10 + 3 m.

Note : tous les jetés et les surjets sont à l'endroit.

Rang 1 (endroit) : 1 m. end., 2 m. ens. end., 3 m. end., ★1 jeté, 1 m. end., 1 jeté, 3 m. end., 1 surjet double, 3 m. end.★ jusqu'aux 7 dernières m. : 1 jeté, 1 m. end., 1 jeté, 3 m. end., 1 surjet, 1 m. end.

Rang 2 et tous les rangs pairs : à l'envers.

Rang 3 : 1 m. end., 2 m. ens. end., 2 m. end., ★1 jeté, 3 m. end., 1 jeté, 2 m. end., 1 surjet double, 2 m. end.★ jusqu'aux 8 dernières m. : 1 jeté, 3 m. end., 1 jeté, 2 m. end., 1 surjet, 1 m. end.

Rang 5 : 1 m. end., 2 m. ens. end., 1 m. end., ★1 jeté, 5 m. end., 1 jeté, 1 m. end., 1 surjet double, 1 m. end.★ jusqu'aux 9 dernières m. : 1 jeté, 5 m. end., 1 jeté, 1 m. end., 1 surjet, 1 m. end.

Rang 7 : 1 m. end., 2 m. ens. end., 1 jeté, 7 m. end., ★1 jeté, 1 surjet double, 1 jeté, 7 m. end.★ jusqu'aux 3 dernières m. : 1 jeté, 1 surjet, 1 m. end.

Rang 9 : 2 m. end., 1 jeté, 3 m. end., ★1 surjet double, 3 m. end., 1 jeté, 1 m. end., 1 jeté, 3 m. end.★ jusqu'aux 8 dernières m. : 1 surjet double, 3 m. end., 1 jeté, 2 m. end.

Rang 11 : 3 m. end., ★1 jeté, 2 m. end., 1 surjet double, 2 m. end., 1 jeté, 3 m. end.★, tout le rang.

Rang 13 : 4 m. end., 1 jeté, 1 m. end., ★1 surjet double, 1 m. end., 1 jeté, 5 m. end., 1 jeté, 1 m. end.★ jusqu'aux 8 dernières m. : 1 jeté, 1 surjet double, 1 m. end., 1 jeté, 4 m. end.

Rang 15 : 5 m. end., ★1 jeté, 1 surjet double, 1 jeté, 7 m. end.★ jusqu'aux 8 dernières m. : 1 jeté, 1 surjet double, 1 jeté, 5 m. end.

Rang 16 : à l'envers.

Rep. ces 16 rangs.

Épis de maïs

Nombre de m. divisible par 12 + 2 m.

Note : tous les jetés et les surjets sont à l'endroit.

Rang 1 (endroit) : à l'endroit.

Rang 2 : à l'envers.

Rang 3 : 4 m. end., 2 m. ens. end., 1 m. end., 1 jeté, ★9 m. end., 2 m. ens. end., 1 m. end., 1 jeté★ jusqu'aux 7 dernières m. : 7 m. end.

Rang 4 : 8 m. env., 1 jeté, 1 m. env., 2 m. ens. env., ★9 m. env., 1 jeté, 1 m. env., 2 m. ens. env.★ jusqu'aux 3 dernières m. : 3 m. env.

Rang 5 : 2 m. end., ★2 m. ens. end., 1 m. end., 1 jeté, 9 m. end.★, tout le rang.

Rang 6 : 10 m. env., 1 jeté, 1 m. env., 2 m. ens. env., ★9 m. env., 1 jeté, 1 m. env., 2 m. ens. env.★ jusqu'à la dernière m. : 1 m. env.

Rangs 7 et 8 : comme rangs 1 et 2.

Rang 9 : 7 m. end., 1 jeté, 1 m. end., 1 surjet, ★9 m. end., 1 jeté, 1 m. end., 1 surjet★ jusqu'aux 4 dernières m. : 4 m. end.

Rang 10 : 3 m. env., 2 m. ens. torses env., 1 m. env., 1 jeté, ★9 m. env., 2 m. ens. torses env., 1 m. env., 1 jeté★ jusqu'aux 8 dernières m. : 8 m. env.

Rang 11 : ★9 m. end., 1 jeté, 1 m. end., 1 surjet★ jusqu'aux 2 dernières m. : 2 m. end.

Rang 12 : 1 m. env., 2 m. ens. torses env., 1 m. env., 1 jeté, ★9 m. env., 2 m. ens. torses env., 1 m. env., 1 jeté★ jusqu'aux 10 dernières m. : 10 m. env.
Rep. ces 12 rangs.

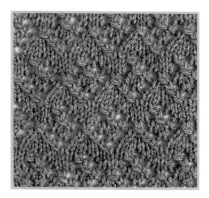

Chandelles

Nombre de m. divisible par 10 + 1 m.
Note : tous les jetés et les surjets sont à l'endroit.
Rang 1 (endroit) : 3 m. end., ★2 m. ens. end., 1 jeté, 1 m. end., 1 jeté, 1 surjet, 5 m. end.★ jusqu'aux 8 dernières m. : 2 m. ens. end., 1 jeté, 1 m. end., 1 jeté, 1 surjet, 3 m. end.
Rang 2 et tous les rangs pairs : à l'envers.
Rang 3 : 2 m. end., ★2 m. ens. end., (1 m. end., 1 jeté) 2 fois, 1 m. end., 1 surjet, 3 m. end.★ jusqu'aux 9 dernières m. : 2 m. ens. end., (1 m. end., 1 jeté) 2 fois, 1 m. end., 1 surjet, 2 m. end.
Rang 5 : 1 m. end., ★2 m. ens. end., 2 m. end., 1 jeté, 1 m. end., 1 jeté, 2 m. end., 1 surjet, 1 m. end.★, tout le rang.
Rang 7 : 2 m. ens. end., ★3 m. end., 1 jeté, 1 m. end., 1 jeté, 3 m. end., 1 surjet double★ jusqu'aux 9 dernières m. : 3 m. end., 1 jeté, 1 m. end., 1 jeté, 3 m. end., 1 surjet.
Rang 9 : 1 m. end., ★1 jeté, 1 surjet, 5 m. end., 2 m. ens. end., 1 jeté, 1 m. end.★, tout le rang.
Rang 11 : 1 m. end., ★1 jeté, 1 m. end., 1 surjet, 3 m. end., 2 m. ens. end., 1 m. end., 1 jeté, 1m. end.★, tout le rang.
Rang 13 : 1 m. end., ★1 jeté, 2 m. end., 1 surjet, 1 m. end., 2 m. ens. end., 2 m. end., 1 jeté, 1 m. end.★, tout le rang.
Rang 15 : 1 m. end., ★1 jeté, 3 m. end., 1 surjet double, 3 m. end., 1 jeté, 1 m. end.★, tout le rang.
Rang 16 : à l'envers.
Rep. ces 16 rangs.

Jours diamants

Nombre de m. divisible par 6 + 3 m.
Note : tous les jetés et les surjets sont à l'endroit.
Rang 1 (endroit) : ★4 m. end., 1 jeté, 1 surjet★ jusqu'aux 3 dernières m. : 3 m. end.
Rang 2 et tous les rangs pairs : à l'envers.
Rang 3 : 2 m. end., ★2 m. ens. end., 1 jeté, 1 m. end., 1 jeté, 1 surjet, 1 m. end.★ jusqu'à la dernière m. : 1 m. end.
Rang 5 : 1 m. end., 2 m. ens. end., 1 jeté, 3 m. end., ★1 jeté, 1 surjet double, 1 jeté, 3 m. end.★ jusqu'aux 3 dernières m. : 1 jeté, 1 surjet, 1 m. end.
Rang 7 : 3 m. end., ★1 jeté, 1 surjet double, 1 jeté, 3 m. end.★, tout le rang.
Rang 9 : comme rang 1.
Rang 11 : 1 m. end., ★1 jeté, 1 surjet, 4 m. end.★ jusqu'aux 2 dernières m. : 1 jeté, 1 surjet.
Rang 13 : 2 m. end., ★1 jeté, 1 surjet, 1 m. end., 2 m. ens. end., 1 jeté, 1 m. end.★ jusqu'à la dernière m. : 1 m. end.
Rang 15 : comme rang 7.
Rang 17 : comme rang 5.
Rang 19 : comme rang 11.
Rang 20 : à l'envers.
Rep. ces 20 rangs.

Bouton de tulipe

Motif de 33 m. sur fond de point mousse.

Note : le nombre de m. varie sur certains rangs en raison du motif. Tous les jetés et les surjets sont à l'endroit.

Rang 1 (envers) : 16 m. end., 1 m. env., 16 m. end.

Rang 2 : 14 m. end., 2 m. ens. end., 1 jeté, 1 m. end., 1 jeté, 1 surjet, 14. m. end.

Rang 3 : 14 m. end., 5 m. env., 14 m. end.

Rang 4 : 13 m. end., 2 m. ens. end., 1 jeté, 3 m. end., 1 jeté, 1 surjet, 13 m. end.

Rang 5 : 13 m. end., 7 m. env., 13 m. end.

Rang 6 : 12 m. end., *2 m. ens. end., 1 jeté* 2 fois, 1 m. end., (1 jeté, 1 surjet) 2 fois, 12 m. end.

Rang 7 : 12 m. end., 9 m. env., 12 m. end.

Rang 8 : 11 m. end., * 2 m. ens. end., 1 jeté* 2 fois, 3 m. end., (1 jeté, 1 surjet) 2 fois, 11 m. end.

Rang 9 : 11 m. end., 4 m. env., 1 m. end., 1 m. env., 1 m. end., 4 m. env., 11 m. end.

Rang 10 : 10 m. end., *2 m. ens. end., 1 jeté* 2 fois, 5 m. end., (1 jeté, 1 surjet) 2 fois, 10 m. end.

Rang 11 : 10 m. end., 4 m. env., 2 m. end., 1 m. env., 2 m. end., 4 m. env., 10 m. end.

Rang 12 : 9 m. end., *2 m. ens. end., 1 jeté* 2 fois, 3 m. end., 1 jeté, 1 m. end., 1 jeté, 3 m. end., (1 jeté, 1 surjet) 2 fois, 9 m. end. Vous obtenez 35 m.

Rang 13 : 9 m. end., 4 m. env., 3 m. end., 3 m. env., 3 m. end., 4 m. env., 9 m. end.

Rang 14 : 1 m. end., 1 jeté, 1 surjet, 5 m. end., *2 m. ens. end., 1 jeté* 2 fois, 5 m. end., 1 jeté, 1 m. end., 1 jeté, 5 m. end., (1 jeté, 1 surjet) 2 fois, 5 m. end., 2 m. ens. end., 1 jeté, 1 m. end. Vous obtenez 37 m.

Rang 15 : 1 m. end., 2 m. env., 5 m. end., 4 m. env., 4 m. end., 5 m. env., 4 m. end., 4 m. env., 5 m. end., 2 m. env., 1 m. end.

Rang 16 : 2 m. end., 1 jeté, 1 surjet, 3 m. end., *2 m. ens. end., 1 jeté* 2 fois, 7 m. end., 1 jeté, 1 m. end., 1 jeté, 7 m. end., (1 jeté, 1 surjet) 2 fois, 3 m. end., 2 m. ens. end., 1 jeté, 2 m. end. Vous obtenez 39 m.

Rang 17 : 2 m. end., 2 m. env., 3 m. end., 4 m. env., 5 m. end., 7 m. env., 5 m. end., 4 m. env., 3 m. end., 2 m. env., 2 m. end.

Rang 18 : 3 m. end., 1 jeté, 1 surjet, 1 m. end., *2 m. ens. end., 1 jeté* 2 fois, 9 m. end., 1 jeté, 1 m. end., 1 jeté, 9 m. end., (1 jeté, 1 surjet) 2 fois, 1 m. end., 2 m. ens. end., 1 jeté, 3 m. end. Vous obtenez 41 m.

Rang 19 : 3 m. end., 2 m. env., 1 m. end., 4 m. env., 6 m. end., 9 m. env., 6 m. end., 4 m. env., 1 m. end., 2 m. env., 3 m. end.

Rang 20 : 4 m. end., 1 jeté, 1 surjet double, 1 jeté, 2 m. ens. end., 1 jeté, 7 m. end., 1 surjet, 5 m. end., 2 m. ens. end., 7 m. end., 1 jeté, 1 surjet, 1 jeté, 3 m. ens. end., 1 jeté, 4 m. end. Vous obtenez 39 m.

Rang 21 : 4 m. end., 5 m. env., 7 m. end., 7 m. env., 7 m. end., 5 m. env., 4 m. end.

Rang 22 : 16 m. end., 1 surjet, 3 m. end., 2 m. ens. end., 16 m. end. Vous obtenez 37 m.

Rang 23 : 16 m. end., 5 m. env., 16 m. end.

Rang 24 : 16 m. end., 1 surjet, 1 m. end., 2 m. ens. end., 16 m. end. Vous obtenez 35 m.

Rang 25 : 16 m. end., 3 m. env., 16 m. end.

Rang 26 : 16 m. end., 1 surjet double, 16 m. end. Vous obtenez 33 m.

Rang 27 : comme rang 1.

Torsades sinueuses à jours

Nombre de m. divisible par 16 + 10 m.

Note : le nombre de m. varie et ne devra être compté qu'après les 1er, 14e, 15e et 28e rangs. Tous les jetés et les surjets sont à l'endroit, sauf précision contraire.

Abréviations : voir également la famille des points irlandais, p. 158.

Rang 1 (envers) : 2 m. end., *6 m. env., 2 m. end.*, tout le rang.

Rang 2 : 2 m. env., (2 m. ens. end., 1 jeté) 2 fois, 2 m. ens. end., *2 m. env., 6 m. end., 2 m. env., (2 m. ens. end., 1 jeté) 2 fois, 2 m. ens. end., rep. à * jusqu'aux 2 dernières m. : 2 m. env.

Rang 3 : 2 m. end., 5 m. env., 2 m. end., *6 m. env., 2 m. end., 5 m. env., 2 m. end.*, tout le rang.

Rang 4 : 2 m. env., 1 m. end., (1 jeté, 2 m. ens. end.) 2 fois, 2 m. env., *6 m. crois. dev., 2 m. env., 1 m. end., (1 jeté, 2 m. ens. end.) 2 fois, 2 m. env. ; rep. à *, tout le rang.

Rang 5 : comme rang 3.

Rang 6 : 2 m. env., 1 m. end., (1 jeté, 2 m. ens. end.) 2 fois, 2 m. env., *6 m. end., 2 m. env., 1 m. end., (1 jeté, 2 m. ens. end.) 2 fois, 2 m. env. ; rep. à *, tout le rang.

Rangs 7 à 11 : rep. rangs 5 et 6 encore 2 fois, puis à nouveau rang 5.

Rang 12 : comme rang 4.

Rang 13 : comme rang 3.

Rang 14 : 2 m. env., 2 m. end., 1 jeté, 1 m. end., 1 jeté, 2 m. ens. end., 2 m. env., *6 m. end., 2 m. env., 2 m. end., 1 jeté, 1 m. end., 1 jeté, 2 m. ens. end., 2 m. env. ; rep. à *, tout le rang.

Rang 15 : comme rang 1.

Rang 16 : 2 m. env., 6 m. end., 2 m. env., *1 jeté env., 1 surjet, (1 jeté, 1 surjet) 2 fois, 2 m. env., 6 m. end., 2 m. env. ; rep. à *, tout le rang.

Rang 17 : 2 m. end., 6 m. env., 2 m. end., *5 m. env., 2 m. end., 6 m. env., 2 m. end. ; rep. à *, tout le rang.

Rang 18 : 2 m. env., 6 m. crois. dev., 2 m. env., *1 jeté env., (1 surjet, 1 jeté) 2 fois, 1 m. end., 2 m. env., 6 m. crois. dev., 2 m. env. ; rep. à *, tout le rang.

Rang 19 : comme rang 17.

Rang 20 : 2 m. env., 6 m. end., 2 m. env., *1 jeté env. (1 surjet, 1 jeté) 2 fois, 1 m. end., 2 m. env., 6 m. end., 2 m. env. ; rep. à *, tout le rang.

Rangs 21 à 25 : rep. encore 2 fois rangs 17 et 20, puis à nouveau rang 17.

Rangs 26 et 27 : comme rangs 18 et 17.

Rang 28 : 2 m. env., 6 m. end., 2 m. env., *2 m. end., 1 jeté, 1 surjet, 1 jeté, 1 m. end., 2 m. env., 6 m. end., 2 m. env. ; rep. à *, tout le rang.

Rep. ces 28 rangs.

Pattes d'ours

Nombre de m. divisible par 18 + 1 m. Mais il faut monter 36 + 1 m. au minimum.

Note : le nombre de m. varie sur quelques rangs et ne devra être compté qu'après les 5ᵉ, 6ᵉ, 11ᵉ, 12ᵉ, 13ᵉ, 14ᵉ, 19ᵉ, 20ᵉ, 25ᵉ, 26ᵉ, 27ᵉ et 28ᵉ rangs. Tous les jetés et les surjets sont à l'endroit.

Rang 1 (endroit) : 1 m. end., ★(2 m. env., 1 m. end.) 2 fois, 1 jeté, 2 m. ens. end., 1 jeté, 1 m. end., 1 jeté, 1 surjet, 1 jeté, (1 m. end., 2 m. env.) 2 fois, 1 m. end.★, tout le rang.

Rang 2 : (1 m. env., 2 m. end.) 2 fois, 9 m. env., ★2 m. end., (1 m. env., 2 m. end.) 3 fois, 9 m. env. ; rep. à ★ jusqu'aux 6 dernières m. : ★2 m. end., 1 m. env.★ 2 fois.

Rang 3 : 1 m. end., ★(2 m. env., 1 m. end.) 2 fois, 1 jeté, 2 m. ens. end., 1 jeté, 3 m. end., 1 jeté, 1 surjet, 1 jeté, (1 m. end., 2 m. env.) 2 fois, 1 m. end.★, tout le rang.

Rang 4 : (1 m. env., 2 m. end.) 2 fois, 11 m. env., ★2 m. end., (1 m. env., 2 m. end.) 3 fois, 11 m. env. ; rep. à ★ jusqu'aux 6 dernières m. : (2 m. end., 1 m. env.) 2 fois.

Rang 5 : 1 m. end., ★(2 m. ens. env., 1 m. end.) 2 fois, 1 jeté, 2 m. ens. end., 1 jeté, 1 surjet, 1 m. end., 2 m. ens. end., 1 jeté, 1 surjet, 1 jeté, (1 m. end., 2 m. ens. env.) 2 fois, 1 m. end.★, tout le rang.

Rang 6 : (1 m. env., 1 m. end.) 2 fois, 11 m. env., ★1 m. end., (1 m. env., 1 m. end.) 3 fois, 11 m. end. ; rep. à ★ jusqu'aux 4 dernières m. : (1 m. end., 1 m. env.) 2 fois.

Rang 7 : 1 m. end., ★(1 m. env., 1 m. end.) 2 fois, 1 jeté, 2 m. ens. end., 1 jeté, 1 m. torse end., 1 jeté, 1 surjet double, 1 jeté, 1 m. torse end., 1 jeté, 1 surjet, 1 jeté, (1 m. end., 1 m. env.) 2 fois, 1 m. end.★, tout le rang.

Rang 8 : (1 m. env., 1 m. end.) 2 fois, 13 m. env., ★1 m. end., (1 m. env., 1 m. end.) 3 fois, 13 m. env. ; rep. à ★ jusqu'aux 4 dernières m. : (1 m. end., 1 m. env.) 2 fois.

Rang 9 : 1 m. end., ★(2 m. ens. end.) 2 fois, 1 jeté, 2 m. ens. end., 1 jeté, 3 m. end., 1 jeté, 1 m. end., 1 jeté, 3 m. end., 1 jeté, 1 surjet, 1 jeté, (1 surjet) 2 fois, 1 m. end.★, tout le rang.

Rang 10 : à l'envers.

Rang 11 : 1 m. end., ★(2 m. ens. end., 1 jeté) 2 fois, 1 surjet, 1 m. end., 2 m. ens. end., 1 jeté, 1 m. end., 1 jeté, 1 surjet, 1 m. end., 2 m. ens. end., (1 jeté, 1 surjet) 2 fois, 1 m. end.★, tout le rang.

Rang 12 : à l'envers.

Rang 13 : (2 m. ens. end., 1 jeté) 2 fois, 1 m. torse end., 1 jeté, 1 surjet double, 1 jeté, 3 m. end., 1 jeté, 1 surjet double, 1 jeté, 1 m. torse end., 1 jeté, 1 surjet, ★1 jeté, 1 surjet double, 1 jeté, 2 m. ens. end., 1 jeté, 1 m. torse end., 1 jeté, 1 surjet double, 1 jeté, 3 m. end., 1 jeté, 1 surjet double, 1 jeté, 1 m. torse end., 1 jeté, 1 surjet ; rep. à ★ jusqu'aux 2 dernières m. : 1 jeté, 1 surjet.

Rang 14 : à l'envers.

Rang 15 : 1 m. end., ★1 jeté, 1 surjet, 1 jeté, (1 m. end., 2 m. env.) 4 fois, 1 m. end., 1 jeté, 2 m. ens. end., 1 jeté, 1 m. end.★, tout le rang.

Rang 16 : 5 m. env., (2 m. end., 1 m. env.) 3 fois, 2 m. end., ★9 m. env., (2 m. end., 1 m. env.)3 fois, 2 m. end. ; rep. à ★ jusqu'aux 5 dernières m. : 5 m. env.

Rang 17 : 2 m. end., 1 jeté, 1 surjet, 1 jeté, (1 m. end., 2 m. env.) 4 fois, 1 m. end., 1 jeté, 2 m. ens. end., ★1 jeté, 3 m. end., 1 jeté, 1 surjet, 1 jeté, (1 m. end., 2 m. env.) 4 fois, 1 m. end., 1 jeté, 2 m. ens. end. ; rep. à ★ jusqu'aux 2 dernières m. : 1 jeté, 2 m. end.

Rang 18 : 6 m. env., (2 m. end., 1 m. env.) 3 fois, 2 m. end., ★11 m. env., (2 m. end., 1 m. env.) 3 fois, 2 m. end. ; rep. à ★ jusqu'aux 6 dernières m. : 6 m. env.

Rang 19 : 1 m. end., ★2 m. ens. end., 1 jeté, 1 surjet, 1 jeté, (1 m. end., 2 m. ens. env.) 4 fois, 1 m. end., 1 jeté, 2 m. ens. end., 1 jeté, 1 surjet, 1 m. end.★, tout le rang.

Rang 20 : 6 m. env., (1 m. end., 1 m. env.) 3 fois, 1 m. end., ★11 m. env., (1 m. end., 1 m. env.) 3 fois, 1 m. env. ; rep. à ★ jusqu'aux 6 dernières m. : 6 m. env.

Rang 21 : 2 m. ens. end., 1 jeté, 1 m. torse end., 1 jeté, 1 surjet, 1 jeté, (1 m. end., 1 m. env.) 4 fois, 1 m. end., 1 jeté, 2 m. ens. end., 1 jeté, 1 m. torse end., ★1 jeté, 1 surjet double, 1 jeté, 1 m. torse end., 1 jeté, 1 surjet, 1 jeté, (1 m. end., 1 m. env.) 4 fois, 1 m. end., 1 jeté, 2 m. ens. end., 1 jeté, 1 m. torse end. ; rep. à ★ jusqu'aux 2 dernières m. : 1 jeté, 1 surjet.

Rang 22 : 7 m. env., (1 m. end., 1 m. env.) 3 fois, 1 m. end., ★13 m. env., (1 m. end., 1 m. env.) 3 fois, 1 m. end. ; rep. à ★ jusqu'aux 7 dernières m. : 7 m. env.

Rang 23 : 1 m. end., ★1 jeté, 3 m. end., 1 jeté, 1 surjet, 1 jeté, (1 surjet) 2 fois, 1 m. end., (2 m. ens. end.) 2 fois, 1 jeté, 2 m. ens. end., 1 jeté, 3 m. end., 1 jeté, 1 m. end.★, tout le rang.

Rang 24 : à l'envers.

Rang 25 : 1 m. end., ★1 jeté, 1 surjet, 1 m. end., 2 m. ens. end., (1 jeté, 1 surjet) 2 fois, 1 m. end., (2 m. ens. end., 1 jeté) 2 fois, 1 surjet, 1 m. end., 2 m. ens. end., 1 jeté, 1 m. end.★, tout le rang.

Rang 26 : à l'envers.

Rang 27 : 2 m. end.,1 jeté, 1 surjet double, 1 jeté, 1 m. torse end., 1 jeté, 1 surjet, 1 jeté, 1 surjet double, 1 jeté, 2 m. ens. end., 1 jeté, 1 m. torse end., 1 jeté, 1 surjet double, ★1 jeté, 3 m. end., 1 jeté, 1 surjet double, 1 jeté, 1 m. torse end., 1 jeté, 1 surjet, 1 jeté, 1 surjet double, 1 jeté, 2 m. ens. end., 1 jeté, 1 m. torse end., 1 jeté, 1 surjet double ; rep. à ★ jusqu'aux 2 dernières m. : 1 jeté, 2 m. end.

Rang 28 : à l'envers.

Rep. ces 28 rangs.

Modèle 12 : bordure de dentelle

Composée d'un simple motif de 16 rangs, cette jolie bordure paraît plus compliquée à tricoter qu'elle ne l'est en réalité.

• Fournitures

Avec 1 pelote de 50 g de coton fin Rowan (4-ply Cotton), vous obtenez une bordure de 8 m environ. 1 paire d'aiguilles n° 3,5.

• Échantillon

2 répétitions du motif mesurent environ 9 cm de longueur.

• Abréviations

Voir page 158.

Réalisation

Note : tous les jetés sont à l'endroit.

Avec les aig. n° 3,5, montez 5 m.

Rang 1 : 1 m. end., 1 jeté, 2 m. ens. end., 1 jeté, 2 m. end., soit 6 m.

Rang 2 et tous les rangs pairs : à l'endroit.

Rang 3 : 1 m. end., ★1 jeté, 2 m. ens. end.★ 2 fois, 1 jeté, 1 m. end., soit 7 m.

Rang 5 : 1 m. end., ★1 jeté, 2 m. ens. end.★ 2 fois, 1 jeté, 2 m. end., soit 8 m.

Rang 7 : 1 m. end., ★1 jeté, 2 m. ens. end.★ 3 fois, 1 jeté, 1 m. end., soit 9 m.

Rang 9 : 1 m. end., ★1 jeté, 2 m. ens. end.★ 3 fois, 1 jeté, 2 m. end., soit 10 m.

Rang 11 : 1 m. end., ★1 jeté, 2 m. ens. end.★ 4 fois, 1 jeté, 1 m. end., soit 11 m.

Rang 13 : 1 m. end., ★1 jeté, 2 m. ens. end.★ 4 fois, 1 jeté, 2 m. end., soit 12 m.

Rang 15 : rabattez 8 m., 1 m. sur l'aig. droite, 1 jeté, 2 m. ens. end., 1 jeté, 1 m. end., soit 5 m.

Rang 16 : à l'endroit.

Ces 16 rangs composent le motif. Reprenez-les jusqu'à l'obtention de la longueur voulue. Terminez par un 15e rang et rabattez les m.

Modèle 13 : tunique en dentelle

Le motif de cette tunique toute simple et élégante se compose de 6 rangs répétés, qui sont faciles à suivre et donnent des bordures sinueuses. Semblables, le dos et le devant présentent un décolleté souple.

• Fournitures

8 (9 ; 10) pelotes de coton fin Rowan (4-ply Cotton).
1 paire d'aiguilles n° 3.
1 paire d'aiguilles n° 3,5.

• Mesures

Votre tour de poitrine	86	91	98	cm
Tour de poitrine (tunique)	103	109	116	cm
Longueur	68	70	72	cm
Longueur des manches	44	46	46	cm

• Échantillon

10 x 10 cm = 25 m. et 32 rangs du motif de dentelle, aiguilles n° 3,5.

• Abréviations

Voir page 158.

Dos et devant semblables

Note : tous les jetés et les surjets sont à l'endroit.
Avec les aig. n° 3, montez 129 (137 ; 145) m.
Tricotez 3 rangs à l'endroit.
Prenez les aig. n° 3,5.
Rang 1 (endroit) : 1 m. end., *1 jeté, 2 m. end., 1 surjet double, 2 m. end., 1 jeté, 1 m. end.*, tout le rang.
Rangs 2 et 4 : à l'envers.
Rang 3 : 2 m. end., *1 jeté, 1 m. end., 1 surjet double, 1 m. end., 1 jeté, 3 m. end.* jusqu'aux 7 dernières m. : 1 jeté, 1 m. end., 1 surjet double, 1 m. end., 1 jeté, 2 m. end.
Rang 5 : 3 m. end., *1 jeté, 1 surjet double, 1 jeté, 5 m. end.* jusqu'aux 6 dernières m. : 1 jeté, 1 surjet double, 1 jeté, 3 m. end.
Rang 6 : à l'envers.
Ces 6 rangs forment le motif.
Continuez le motif jusqu'à une hauteur totale de 62,5 (64,5 ; 66,5) cm, en terminant avec un 6e rang du motif.

• Encolure

Rang suiv. : 38 (41 ; 46) m. du motif, tournez.
Pour le 1er côté de l'encolure, tricotez seulement cette partie des m.
En respectant le motif, aux 2 rangs suiv., faites 1 diminution au bord de l'encolure, puis tous les 2 rangs, 6 fois.
Vous obtenez 30 (33 ; 38) m. Tricotez 3 rangs.
Rabattez souplement.
L'endroit vers vous, glissez les 53 (55 ; 53) m. centrales sur un arrête-mailles, ajoutez du fil aux m. restantes pour le 2e côté de l'encolure et terminez le motif au rang suiv.
Terminez comme indiqué pour le 1er côté.

Manches

Avec les aig. n° 3, montez 49 (49 ; 57) m. Tricotez 3 rangs à l'endroit.
Prenez les aig. n° 3,5.
Tricotez comme indiqué pour le dos et le devant, en faisant 1 aug. au début et à la fin du 7e rang, puis tous les 4 rangs jusqu'à ce que vous ayez obtenu 97 (109 ; 117) m. Intégrez les aug. au motif. Continuez tout droit jusqu'à obtenir une hauteur totale de 44 (46 ; 46) cm, en terminant par 1 rang à l'envers. Rabattez souplement.

Bande d'encolure

Cousez l'épaule droite. L'endroit vers vous, relevez 15 m. sur le côté gauche de l'encolure, tricotez les m. centrales comme suit : 9 (7 ; 9) m. end., *2 m. ens. end., 9 (6 ; 9) m. end.* 4 (6 ; 4) fois, puis relevez 15 m. sur le côté droit de l'encolure du devant, 15 m. sur le côté de l'encolure du dos, et tricotez les m. centrales comme suit : 9 (7 ; 9) m. end., *2 m. ens. end., 9 (6 ; 9) m. end.* 4 (6 ; 4) fois, puis relevez 15 m. sur le côté gauche de l'encolure.
Vous obtenez 158 m. Tricotez 3 rangs à l'endroit.
Rabattez à l'endroit.

Montage

Cousez l'épaule gauche et la bande d'encolure.
Marquez l'emplacement des emmanchures à 20 (22 ; 23) cm sous les épaules sur les bords latéraux du dos et du devant.
Cousez le haut des manches entre les repères. Fermez les côtés et les manches.
(Voir aussi l'atelier des finitions).

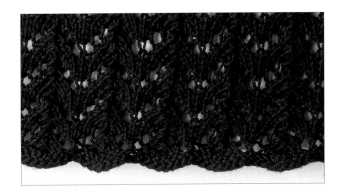

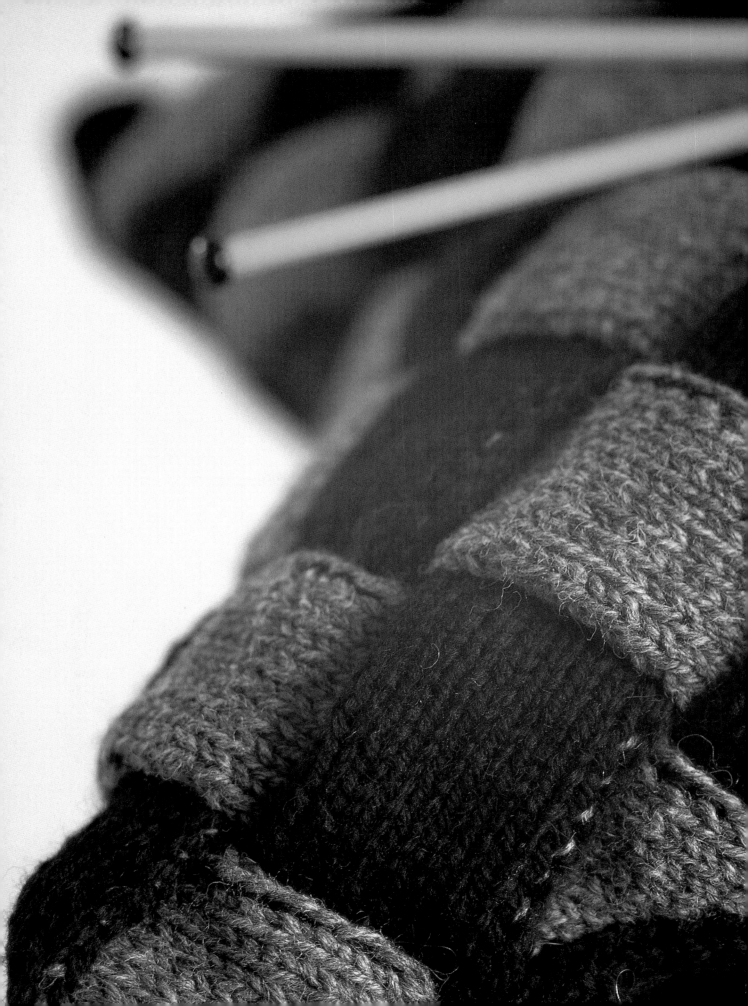

L'atelier des entrelacs

J'AI ÉTÉ INITIÉE aux entrelacs lors d'une exposition de tricot organisée à San Francisco. Bien entendu, je connaissais cette technique, mais elle ne m'avait jamais vraiment inspirée. À cette exposition toutefois, j'ai pu admirer de magnifiques vêtements (une veste, notamment), mettant en avant le travail de la texture plutôt que celui de la couleur. Dès lors, je fus impatiente de mettre la main sur une paire d'aiguilles et de me lancer. C'est une styliste qui m'a dévoilé les secrets de l'entrelacs : elle s'est assise à côté de moi et m'a patiemment expliqué la technique de base.

Le tricot à entrelacs crée une apparence de patchwork disposé en diagonale et travaillé en bandes de rectangles. Chaque suite se tricote en partant de la bande de rectangles précédente et devient la base de la bande suivante. Pour bien comprendre cette technique, il me semble important de tricoter un échantillon : vous verrez qu'ensuite la logique du système se met en place toute seule. Commencez par un échantillon en jersey travaillé en une seule couleur. Une fois le principe de base acquis, vous pourrez aborder les deux modèles présentés dans cet atelier, l'un intégrant deux couleurs et l'autre, un jeu sur la texture.

La technique de l'entrelacs

Il est difficile d'illustrer cette technique car le tricot serait ramassé sur l'aiguille et vous ne pourriez
rien voir. C'est en lisant attentivement les explications que vous pourrez vous faire une idée claire
de l'entrelacs et, notamment, comprendre comment les mailles restent sur l'aiguille.

Montez très souplement 40 m.
Tricotez les triangles de base comme suit :
1er triangle de base
Rangs 1 et 2 : 2 m. end., tournez, 2 m. env., tournez.
Rangs 3 et 4 : 3 m. end., tournez, 3 m. env., tournez.
Rangs 5 et 6 : 4 m. end., tournez, 4 m. env., tournez.
Rangs 7 et 8 : 5 m. end., tournez, 5 m. env., tournez.
Rangs 9 et 10 : 6 m. end., tournez, 6 m. env., tournez.

Rangs 11 et 12 : 7 m. end., tournez, 7 m. env., tournez.
Rangs 13 et 14 : 8 m. end., tournez, 8 m. env., tournez.
Rangs 15 et 16 : 9 m. end., tournez, 9 m. env., tournez.
Rang 17 : 10 m. end., ne tournez pas.
Laissez ces m. sur l'aig. droite.
2e, 3e et 4e triangles de base
Travaillez comme indiqué pour le 1er triangle de base.
Tournez.

★★Triangle du bord gauche
Rangs 1 et 2 : 2 m. env., tournez, glissez 1 m., 1 m. end.,
tournez.
Rangs 3 et 4 : 1 m. env. dans le devant et le dos de la 1re m.,
2 m. ens. env., tournez, glissez 1 m., 2 m. end., tournez.

Rangs 5 et 6 : 1 m. env. dans le devant et le dos de la 1re m.,
1 m. env., 2 m. ens. env., tournez, glissez 1 m., 3 m. end., tournez.
Rangs 7 et 8 : 1 m env. dans le devant et le dos de la 1re m.,
2 m. env., 2 m. ens. env., tournez, glissez 1 m., 4 m. end.,
tournez.

Rangs 9 et 10 : 1 m. env. dans le devant et le dos de la 1ʳᵉ m., 3 m. env., 2 m. ens. env., tournez, glissez 1 m., 5 m. end., tournez.

Rangs 11 et 12 : 1 m. env. dans le devant et le dos de la 1ʳᵉ m., 4 m. env., 2 m. ens. env., tournez, glissez 1 m., 6 m. end., tournez.

Rangs 13 et 14 : 1 m. env. dans le devant et le dos de la 1ʳᵉ m., 5 m. env., 2 m. ens. env., tournez, glissez 1 m., 7 m. end., tournez.

Rangs 15 et 16 : 1 m. env. dans le devant et le dos de la 1ʳᵉ m., 6 m. env., 2 m. ens. env., tournez, glissez 1 m., 8 m. end., tournez.

Rang 17 : 1 m. env. dans le devant et le dos de la 1ʳᵉ m., 7 m. env., 2 m. ens. env., ne tournez pas (toutes les m. du 4ᵉ triangle de base ont été tricotées). Laissez ces m. sur l'aig. droite.

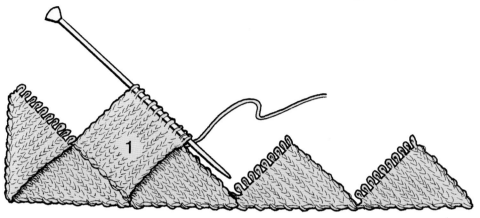

1ᵉʳ rectangle

L'envers vers vous, avec l'aig. droite, relevez 10 m. en les tricotant à l'envers, sur l'autre bord du 4ᵉ triangle de base, tournez.

Rangs 1 et 2 : glissez 1 m., 9 m. end., tournez, 9 m. env., 2 m. ens. env., tournez.

Rep. rangs 1 et 2 encore 8 fois.

Les 2 rangs suivants : glissez 1 m., 9 m. end., tournez, 9 m. env., 2 m. ens. env., ne tournez pas (toutes les m. du 3ᵉ triangle de base ont été tricotées). Laissez ces m. sur l'aig. droite.

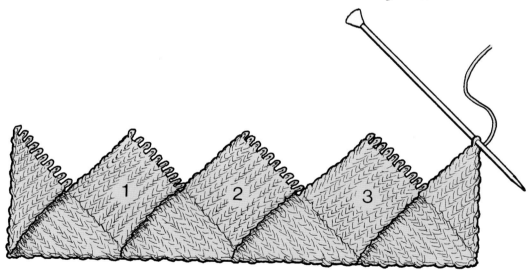

2ᵉ et 3ᵉ rectangles

Travaillez comme indiqué pour le 1ᵉʳ rectangle, sachant que les m. seront relevées sur les 3ᵉ et 2ᵉ triangles de base et enlevées des 2ᵉ et 1ᵉʳ triangles de base.

Triangle du bord droit

L'envers étant vers vous, avec l'aig. droite, relevez 10 m. en les tricotant à l'envers, le long de l'autre côté du 1ᵉʳ triangle de base, puis tournez.

Rangs 1 et 2 : 10 m. end., tournez, 8 m. env., 2 m. ens. env., tournez.

Rangs 3 et 4 : 9 m. end., tournez, 7 m. env., 2 m. ens. env., tournez.

Rangs 5 et 6 : 8 m. end., tournez, 6 m. env., 2 m. ens. env., tournez.

Rangs 7 et 8 : 7 m. end., tournez, 5 m. env., 2 m. ens. env., tournez.

Rangs 9 et 10 : 6 m. end., tournez, 4 m. env., 2 m. ens. env., tournez.

Rangs 11 et 12 : 5 m. end., tournez, 3 m. env., 2 m. ens. env., tournez.

Rangs 13 et 14 : 4 m. end., tournez, 2 m. env., 2 m. ens. env., tournez.

Rangs 15 et 16 : 3 m. end., tournez, 1 m. env., 2 m. ens. env., tournez.

Rangs 17 et 18 : 2 m. end., tournez, 2 m. ens. env. Laissez les m. restantes sur l'aig. droite. Tournez.★★

4e rectangle

L'endroit vers vous, avec l'aig. droite, glissez la 1re m., puis relevez 9 m., en les tricotant à l'endroit, sur le bord intérieur du triangle, côté droit, et tournez. Vous obtenez 10 m.

Rangs 1 et 2 : glissez 1 m., 9 m. env., tournez, 9 m. end., tournez. Rep. ces 2 derniers rangs encore 8 fois.

Les 2 rangs suivants : glissez 1 m., 9 m. env., tournez, 9 m. end., 1 surjet, ne tournez pas (toutes les m. du 3e rectangle ont été tricotées). Laissez ces m. sur l'aig. droite.

5e rectangle (portant le n° 3 au 2e rang)

L'endroit vers vous, avec l'aig. droite, relevez 10 m., en les tricotant à l'endroit, sur l'autre bord du 3e rectangle. Travaillez comme indiqué pour le 4e triangle (toutes les m. du 2e rectangle ont été tricotées).

6e et 7e rectangles (n° 4 et n° 5 au 2e rang).

Travaillez comme indiqué pour le 5e rectangle, sachant que les m. seront relevées sur les 2e et 1er rectangles et tricotées à partir du 1er rectangle et du triangle du bord gauche.

Sachant que les m. seront tricotées et relevées à partir des 7e, 6e, 5e et 4e rectangles au lieu des triangles de base ; rep. de ★★ à ★★ encore 1 fois.

Travaillez les triangles du bord supérieur comme suit :

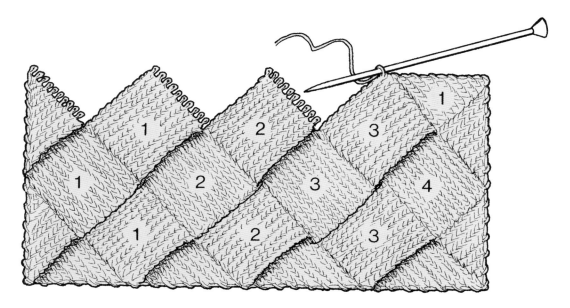

1er triangle supérieur

L'endroit vers vous, avec l'aig. droite, glissez la 1re m., relevez 9 m., en les tricotant à l'endroit, sur le bord intérieur du triangle du côté droit. Vous obtenez 10 m.

Rangs 1 et 2 : glissez 1 m., 9 m. env., tournez, 9 m. end., 1 surjet, tournez.

Rangs 3 et 4 : glissez 1 m., 7 m. env., 2 m. ens. env., tournez, 8 m. end., 1 surjet, tournez.

Rangs 5 et 6 : glissez 1 m., 6 m. env., 2 m. ens. env., tournez, 7 m. end., 1 surjet, tournez.

Rangs 7 et 8 : glissez 1 m., 5 m. env., 2 m. ens. env., tournez, 6 m. end., 1 surjet, tournez.

Rangs 9 et 10 : glissez 1 m., 4 m. env., 2 m. ens. env., tournez, 5 m. end., 1 surjet, tournez.

Rangs 11 et 12 : glissez 1 m., 3 m. env., 2 m. ens. env., tournez, 4 m. end., 1 surjet, tournez.

Rangs 13 et 14 : glissez 1 m., 2 m. env., 2 m. ens. env., tournez, 3 m. end., 1 surjet, tournez.

Rangs 15 et 16 : glissez 1 m., 1 m. env., 2 m. ens. env., tournez, 2 m. end., 1 surjet, tournez.

Rangs 17 et 18 : glissez 1 m., 2 m. ens. env., tournez, 1 m. end., 1 surjet, tournez.

Rangs 19 et 20 : 2 m. ens. env., tournez, 1 surjet, ne tournez pas. Laissez la m. restante sur l'aig. droite.

2e, 3e et 4e triangles supérieurs

L'endroit vers vous, avec l'aig. droite, relevez 9 m. en les tricotant à l'endroit, sur le bord du rectangle. Vous obtenez 10 m.

Continuez comme pour le 1er triangle supérieur. Arrêtez le fil.

Modèle 14 : coussin en deux couleurs

Cette housse de coussin vous initie à la technique des entrelacs de deux couleurs.
Tricoté en jersey, le dos est composé de deux parties présentant une fermeture boutonnée.

• Fournitures

4 écheveaux de 100 g de laine de pays Rowan (Magpie) en noir (A).
2 écheveaux de 100 g de laine de pays Tweed Rowan (Magpie Tweed) en gris (B).
1 paire d'aiguilles n° 4,5.
6 boutons.
Ouate de rembourrage.

• Mesures

Environ 50 x 50 cm.

• Échantillon

10 x 10 cm = 18 m. et 26 rangs de jersey, aiguilles n° 4,5.

• Abréviations

Voir page 158.

Devant

Avec les aig. n° 4,5 et le fil A, montez très souplement 60 m.
Tricotez les triangles de base de la façon suivante :

1er triangle de base
Rangs 1 et 2 : 2 m. end., tournez, 2 m. env., tournez.
Rangs 3 et 4 : 3 m. end., tournez, 3 m. env., tournez.
Rangs 5 et 6 : 4 m. end., tournez, 4 m. env., tournez.
Rangs 7 et 8 : 5 m. end., tournez, 5 m. env., tournez.
Rangs 9 et 10 : 6 m. end., tournez, 6 m. env., tournez.
Rangs 11 et 12 : 7 m. end., tournez, 7 m. env., tournez.
Rangs 13 et 14 : 8 m. end., tournez, 8 m. env., tournez.
Rangs 15 et 16 : 9 m. end., tournez, 9 m. env., tournez.
Rang 17 : 10 m. end., ne tournez pas.
Laissez ces m. sur l'aig. droite.

2e, 3e, 4e, 5e et 6e triangles de base
Travaillez comme indiqué pour le 1er triangle de base.
Coupez le fil A et tournez.

**Triangle du bord, côté gauche
Ajoutez le fil B.
Rangs 1 et 2 : 2 m. env., tournez, glissez 1 m., 1 m. end., tournez.
Rangs 3 et 4 : 1 m. env. dans le devant et le dos de la 1re.,
2 m. ens. env., tournez, glissez 1 m., 2 m. end., tournez.
Rangs 5 et 6 : 1 m. env. dans le devant et le dos de la 1re m., 1 m. env.,
2 m. ens. env., tournez, glissez 1 m., 3 m. end., tournez.
Rangs 7 et 8 : 1 m. env. dans le devant et le dos de la 1re m., 2 m. env.,
2 m. ens. env., tournez, glissez 1 m., 4 m. end., tournez.

Rangs 9 et 10 : 1 m. env. dans le devant et le dos de la 1re m., 3 m. env.,
2 m. ens. env., tournez, glissez 1 m., 5 m. end., tournez.
Rangs 11 et 12 : 1 m. env. dans le dos et le devant de la 1re m., 4 m. env.,
2 m. ens. env., tournez, glissez 1 m., 6 m. end., tournez.
Rangs 13 et 14 : 1 m. env. dans le devant et le dos de la 1re m., 5 m. env.,
2 m. ens. env., tournez, glissez 1 m., 7 m. end., tournez.
Rangs 15 et 16 : 1 m. env. dans le devant et le dos de la 1re m., 6 m. env.,
2 m. ens. env., tournez, glissez 1 m., 8 m. end., tournez.
Rang 17 : 1 m. env. dans le devant et le dos de la 1re m., 7 m. env.,
2 m. ens. env., ne tournez pas (toutes les m. du 6e triangle de base ont été tricotées).
Laissez ces m. sur l'aig. droite.

1er rectangle
L'envers étant vers vous, relevez 10 m. avec l'aig. droite en les tricotant à l'envers, sur l'autre bord du 6e triangle de base, tournez.
Rangs 1 et 2 : glissez 1 m., 9 m. end., tournez, 9 m. env., 2 m. ens. env., tournez.
Rep. rangs 1 et 2 encore 8 fois.
Les 2 rangs suivants : glissez 1 m., 9 m. end., tournez, 9 m. env., 2 m. ens. env., ne tournez pas (toutes les m. du 5e triangle de base ont été tricotées).
Laissez ces m. sur l'aig. droite.

2e, 3e, 4e et 5e rectangles
Travaillez en suivant les indications données pour le 1er rectangle, en sachant que les m. seront relevées sur les 5e, 4e, 3e et 2e triangles de base et tricotées à partir du 4e, 3e, 2e et 1er triangles de base.

Triangle du bord, côté gauche
L'envers étant vers vous, relevez 10 m. avec l'aig. droite, en les tricotant à l'envers, sur l'autre côté du 1er triangle de base, tournez.
Rangs 1 et 2 : 10 m. end., tournez, 8 m. env., 2 m. ens. env., tournez.
Rangs 3 et 4 : 9 m. end., tournez, 7 m. env., 2 m. ens. env., tournez.
Rangs 5 et 6 : 8 m. end., tournez, 6 m. env., 2 m. ens. env., tournez.
Rangs 7 et 8 : 7 m. end., tournez, 5 m. env., 2 m. ens. env., tournez.
Rangs 9 et 10 : 6 m. end., tournez, 4 m. env., 2 m. ens. env., tournez.
Rangs 11 et 12 : 5 m. end., tournez, 3 m. env., 2 m. ens. env., tournez.
Rangs 13 et 14 : 4 m. end., tournez, 2 m. env., 2 m. ens. env., tournez.
Rangs 15 et 16 : 3 m. end., tournez, 1 m. env., 2 m. ens. env., tournez.
Rangs 17 et 18 : 2 m. end., tournez, 2 m. ens. env. et arrêtez.
Coupez le fil B et tournez. ***

6e rectangle
Ajoutez le fil A. L'endroit étant vers vous, relevez 10 m. avec l'aig. droite, en les tricotant à l'endroit, sur le bord intérieur du triangle du bord droit, tournez.
Rangs 1 et 2 : glissez 1 m., 9 m. env., tournez, 9 m. end., 1 surjet, tournez.
Rep. rangs 1 et 2 encore 8 fois.
Les 2 rangs suivants : glissez 1 m., 9 m. env., tournez, 9 m. end., 1 surjet, ne tournez pas (toutes les m. du 5e rectangle ont été tricotées).
Laissez ces m. sur l'aig. droite.

7e, 8e, 9e, 10e et 11e rectangles

Travaillez comme indiqué pour le 6e rectangle, en sachant que les m. seront relevées sur les 5e, 4e, 3e, 2e et 1er rectangles et tricotées sur les 4e, 3e, 2e et 1er rectangles ainsi que sur le triangle du bord latéral. ★★★★

En sachant que les m. seront tricotées et relevées sur les 11e, 10e, 9e, 8e, 7e et 6e rectangles au lieu des triangles de base ; rep. de ★★ à ★★★★ 4 fois, puis tricotez de ★★ à ★★★.

Travaillez les triangles supérieurs de la façon suivante :

1er triangle du haut

Ajoutez le fil A. L'endroit étant vers vous, relevez 10 m. avec l'aig. droite, en les tricotant à l'endroit, sur le bord intérieur du triangle du bord gauche, tournez.

Rangs 1 et 2 : glissez 1 m., 9 m. env., tournez, 9 m. end., 1 surjet, tournez.

Rangs 3 et 4 : glissez 1 m., 7 m. env., 2 m. ens. env., tournez, 8 m. end., 1 surjet, tournez.

Rangs 5 et 6 : glissez 1 m., 6 m. env., 2 m. ens. env., tournez, 7 m. end., 1 surjet, tournez.

Rangs 7 et 8 : glissez 1 m., 5 m. env., 2 m. ens. env., tournez, 6 m. end., 1 surjet, tournez.

Rangs 9 et 10 : glissez 1 m., 4 m. env., 2 m. ens. env., tournez, 5 m. end., 1 surjet, tournez.

Rangs 11 et 12 : glissez 1 m., 3 m. env., 2 m. ens. env., tournez, 4 m. end., 1 surjet, tournez.

Rangs 13 et 14 : glissez 1 m., 2 m. env., 2 m. ens. env., tournez, 3 m. end., 1 surjet, tournez.

Rangs 15 et 16 : glissez 1 m., 1 m. env., 2 m. ens. env., tournez, 2 m. end., 1 surjet, tournez.

Rangs 17 et 18 : glissez 1 m., 2 m. ens. env., tournez, 1 m. end., 1 surjet, tournez.

Rangs 19 et 20 : 2 m. ens. env., tournez, 1 surjet, ne tournez pas. Laissez la m. restante sur l'aig. droite.

2e, 3e, 4e, 5e et 6e triangles supérieurs

L'endroit étant vers vous, relevez 9 m. avec l'aig. droite, en les tricotant à l'endroit, sur le bord du rectangle. Vous obtenez 10 m. Continuez comme pour le 1er triangle supérieur. Arrêtez le fil.

Dos

Avec les aig. n° 4,5 et le fil A, montez 92 m. pour la partie inférieure. Travaillez en jersey jusqu'à une hauteur totale de 40 cm. Marquez les 2 extrémités du dernier rang. Tricotez encore 2 cm de jersey. Rabattez les m. Avec les aig. n° 4,5 et le fil A, montez 92 m. pour la partie supérieure. Tricotez 1 rang à l'envers.

Rang avec boutonnières : 10 m. end., ★2 m. ens. end., 1 jeté, 12 m. end.★ 5 fois, 2 m. ens. end., 1 jeté, 10 m. end.

En commençant par 1 rang à l'envers, travaillez en jersey jusqu'à obtenir une hauteur totale de la partie supérieure de 11 cm. Rabattez les m.

Montage

Alignez le bord des m. montées de la partie supérieure du dos avec les repères de la partie inférieure et superposez les bords latéraux. L'endroit du dos étant posé sur l'endroit du devant, cousez les 4 côtés. Retournez. Cousez les boutons sur la partie inférieure du dos en face des boutonnières. (Voir aussi l'atelier des finitions).

Modèle 15 : pull aux entrelacs

Dans ce modèle, la technique des entrelacs permet de créer des effets de matière avec un patchwork de torsades, de mouches et de point de riz. L'encolure en V est tricotée en côtes.

• Fournitures

11 pelotes de 100 g de laine de pays Rowan (Magpie).
1 paire d'aiguilles n° 3,5.
1 paire d'aiguilles n° 4,5.
1 aiguille auxiliaire.

• Mesures du vêtement

Votre tour de poitrine	81-97	cm
Tour de poitrine (pull)	117	cm
Longueur	68	cm
Longueur des manches	46	cm

• Échantillon

10 x 10 cm = 18 m. et 26 rangs de jersey, aiguilles n° 4,5.

10 x 10 cm = 19 m. et 30 rangs au point de riz, aiguilles n° 3,5.

• Abréviations

4 m. crois. der. = glissez les 2 m. suiv. sur l'aig. aux. placée derrière, 2 m. end., puis tricotez à l'end. les 2 m. de l'aig. aux.

4 m. crois. dev. = glissez les 2 m. suiv. sur l'aig. aux. placée devant, 2 m. end., puis tricotez à l'end. les 2 m. de l'aig. aux.

3 m. crois. gauche = glissez les 2 m. suiv. sur l'aig. aux. placée devant, 1 m. env., puis tricotez à l'end. les 2 m. de l'aig. aux.

3 m. crois. droite = glissez la m. suiv. sur l'aig. aux. placée derrière, 2 m. end., puis tricotez à l'env. la m. de l'aig. aux.

Mouche = 1 m. end., 1 m. env., 1 m. end., 1 m. env., toutes dans la m. suiv., ne faites pas tomber la m. de l'aig. gauche mais tricotez dans le dos de cette m. en la laissant tomber, tournez, 2 m. ens. env., 1 m. env., 2 m. ens. torses env., 1 surjet double.

Voir aussi page 158.

Dos

Avec les aig. 3,5, montez 142 m.

1er rang de côtes (endroit) : 2 m. end., *2 m. env., 4 m. end., 2 m. env., 2 m. end.*, tout le rang.

2e rang de côtes : 2 m. env., *2 m. end., 4 m. env., 2 m. end., 2 m. env.*, tout le rang.

3e et 4e rangs de côtes : comme rangs 1 et 2.

5e rang de côtes : 2 m. end., *2 m. env., 4 m. crois. der., 2 m. env., 2 m. end.*, tout le rang.

6e rang de côtes : comme rang 2.

Rep. les rangs 3 et 6 encore 2 fois, puis à nouveau le rang 3.

Rang avec dim. : 2 m. env., *2 m. ens. end., (2 m. ens. env.) 2 fois, 2 m. ens. end., 2 m. ens. env.*, tout le rang. Vous obtenez 72 m.

Prenez les aig. n° 4,5.

Travaillez les triangles de base de la manière suivante :

1er triangle

Rang 1 : 1 m. env., 1 m. end., tournez.

Rang 2 : 1 m. end., 1 m. env., tournez.

Rang 3 : 1 m. env., 1 m. end., 1 m. env., tournez.

Rang 4 : 1 m. env., 1 m. end., 1 m. env., tournez.

Rang 5 : *1 m. env., 1 m. end.* 2 fois, tournez.

Rang 6 : *1 m. end., 1 m. env.* 2 fois, tournez.

Continuez ainsi en intégrant 1 m. de plus au point de riz à la fin de chaque rang de l'endroit, jusqu'à ce que vous ayez tricoté 18 m. au point de riz. Tournez. Tricotez encore 2 rangs au point de riz sur ces m. Ne tournez pas. Laissez ces m. sur l'aig. droite.

2e, 3e et 4e triangles

Tricotez comme indiqué pour le 1er triangle. Tournez.

** Triangle du bord gauche

Rang 1 : 1 m. end., 1 m. env., tournez.

Rang 2 : 1 m. env., 1 m. end., tournez.

Rang 3 : 1 m. env., 1 m. end. dans la 1re m., 2 m. ens. env., tournez.

Rang 4 : 1 m. env., 1 m. end., 1 m. env., tournez.

Rang 5 : 1 m. end., 1 m. env. dans la 1re m., 1 m. end., 2 m. ens. env., tournez.

Rang 6 : *1 m. env., 1 m. end.* 2 fois, tournez.

Rang 7 : 1 m. env., 1 m. end. dans la 1re m., 1 m. end., 2 m. ens. env., tournez.

Rang 8 : 1 m. env., *1 m. end., 1 m. env.* 2 fois, tournez.

Continuez ainsi au point de riz : sur tous les rangs de l'envers, tricotez la 1re m. 2 fois, et la dernière m. avec la m. suiv. du 4e triangle de base, jusqu'à ce que toutes les m. de 4e triangle aient été tricotées. Vous obtenez 18 m. Ne tournez pas. Laissez ces m. sur l'aig. droite.

Tricotez les rectangles comme suit :

1er rectangle

L'envers vers vous, relevez 18 m., en les tricotant à l'envers, sur l'autre côté du 4e triangle de base, tournez.

Rang 1 : le fil derrière, glissez 1 m. à l'env., 1 m. env., 3 m. end., *1 m. env., 1 m. end.* 4 fois, 3 m. end., 2 m. env., tournez.

Rang 2 : 2 m. end., 3 m. env., *1 m. end., 1 m. env.* 4 fois, 3 m. env., 1 m. end., 1 surjet, tournez.

Rangs 3 à 8 : rep. 3 fois rangs 1 et 2.

Rang 9 : fil derrière, glissez 1 m. à l'env., 1 m. env., glissez les 3 m. suiv. sur l'aig. aux. placée derrière, *1 m. env., 1 m. end.* 2 fois, puis tricotez à l'end. les 3 m. de l'aig. aux., glissez les 4 m. suiv. sur l'aig. aux. placée devant, 3 m. end., puis tricotez les m. de l'aig. aux., (1 m. env., 1 m. end.) 2 fois, 2 m. env., tournez.

Rang 10 : 2 m. end., *1 m. end., 1 m. env.* 2 fois, 6 m. env., (1m. end., 1 m. env.) 2 fois, 1 m. end., 1 surjet, tournez.

Rang 11 : fil derrière, glissez 1 m. à l'env., 1 m. env., *1 m. env., 1 m. end.* 2 fois, 6 m. end., (1 m. env., 1 m. end.) 2 fois, 2 m. env., tournez.

Rangs 12 à 18 : rep. 3 fois rangs 10 et 11, puis à nouveau rang 10.

Rang 19 : fil derrière, glissez 1 m. à l'env., 1 m. env., glissez les 4 m. suiv. sur l'aig. aux. placée derrière, 3 m. end., puis tricotez les m. de l'aig. aux., *1 m. env., 1 m. end.* 2 fois, glissez les 3 m. suiv. sur l'aig. aux. placée devant, (1 m. env., 1 m. end.) 2 fois, puis tricotez à l'end. les 3 m. de l'aig. aux., 2 m. env., tournez.

Rang 20 : comme rang 2.

Rangs 21 à 28 : rep. 4 fois rangs 1 et 2.

Rangs 29 à 31 : rep. rangs 9 à 11.

Rangs 32 à 36 : rep. 2 fois rangs 10 et 11, puis à nouveau rang 10 (toutes les m. du triangle de base sont tricotées). Ne tournez pas. Laissez ces m. sur l'aig. droite.

2e rectangle

L'envers étant vers vous, relevez 18 m., en les tricotant à l'envers, sur l'autre bord du 3e triangle de base, tournez.

Rang 1 : 1 m. env., *1 m. end., 1 m. env.* 2 fois, 8 m. end., 1 m. env., (1 m. end., 1 m. env.) 2 fois, tournez.

Rang 2 : *1 m. env., 1 m. end.* 2 fois, 10 m. env., 1 m. end., 1 m. env., 1 m. end., 2 m. ens. env., tournez.

Rangs 3 et 4 : comme rangs 1 et 2.

Rang 5 : 1 m. env., *1 m. end., 1 m. env.* 2 fois, 4 m. crois. der., 4 m. crois. dev., 1 m. env., (1 m. end., 1 m. env.) 2 fois, tournez.

Rangs 6 à 8 : comme rangs 2 à 4.

Rang 9 : 1 m. env., *1 m. end., 1 m. env.* 2 fois, 4 m. crois. dev., 4 m. crois. der., 1 m. env., (1 m. end., 1 m. env.) 2 fois, tournez.

Rep. 3 fois rangs 2 à 9, puis rangs 2 à 4 (toutes les m. du 2e triangle de base sont tricotées). Ne tournez pas. Laissez ces m. sur l'aig. droite.

3e rectangle

Relevez les m. sur l'autre bord du 2e triangle de base et tricotez-les sur le 1er triangle de base comme indiqué pour le 1er rectangle.

Triangle du bord droit

L'envers étant vers vous, relevez 18 m. en les tricotant à l'envers, sur l'autre bord du 1er triangle de base. Tournez.

Rang 1 : *1 m. env., 1 m. end.* 9 fois, tournez.

Rang 2 : *1 m. end., 1 m. env.* 8 fois, 2 m. ens. end., tournez.

Rang 3 : 1 m. end., *1 m. env., 1 m. end.* 8 fois, tournez.

Rang 4 : 1 m. end., *1 m. env., 1 m. end.* 7 fois, 2 m. ens. env., tournez.

Continuez ainsi au point de riz, faites 1 dim. à la fin de tous les rangs de l'envers jusqu'à ce qu'il ne reste que 2 m. Tricotez 1 rang. Tournez. Tricotez 2 m. ens. et laissez la m. restante sur l'aig. droite. Tournez.

4e rectangle

L'endroit étant vers vous, glissez la 1re m. sur l'aig. droite, puis relevez encore 17 m. en les tricotant à l'endroit, sur le bord intérieur du triangle du bord droit, tournez. Vous obtenez 18 m.

Rang 1 : *1 m. env., 1 m. end.* 3 fois, 2 m. env., 5 m. end., 1 m. env., (1 m. end., 1 m. env.) 2 fois, tournez.

Rang 2 : 1 m. env., *1 m. end., 1 m. env. * 2 fois, 2 m. env., mouche, 1 m. env., 3 m. crois. droite, 2 m. env., 1m. end., 1 m. env., 1 m. end., 2 m. ens. env., tournez.

Rang 3 : 1 m. env., *1 m. end., 1 m. env.* 2 fois, 2 m. end., 2 m. env., 4 m. end., 1 m. env., (1 m. end., 1 m. env.) 2 fois, tournez.

Rang 4 : 1 m. env., *1 m. end., 1 m. env.* 2 fois, 3 m. env., 3 m. crois. droite, 3 m. env., 1 m. end., 1 m. env., 1 m. end., 2 m. ens. env., tournez.

Rang 5 : 1 m. env., *1 m. end., 1 m. env.* 2 fois, 3 m. end., 2 m. env., 3 m. end., 1 m. env., (1 m. end., 1 m. env.) 2 fois, tournez.

Rang 6 : 1 m. env., *1 m. end., 1 m. env.* 2 fois, 2 m. env., 3 m. crois. droite., 4 m. env., 1 m. end., 1 m. env., 1 m. end., 2 m. ens. env., tournez.

Rang 7 : 1 m. env., *1 m. end., 1 m. env.* 2 fois, 4 m. end., 2 m. env., 2 m. end., 1 m. env., (1 m. end., 1 m. env.) 2 fois, tournez.

Rang 8 : 1 m. env., *1 m. end., 1 m. env.* 2 fois, 1 m. env., 3 m. crois. droite, 5 m. env., 1 m. end., 1 m. env., 1 m. end., 2 m. ens. env., tournez.

Rang 9 : 1 m. env., *1 m. end., 1 m. env.* 2 fois, 5 m. end., 2 m. env., (1 m. end., 1 m. env.) 3 fois, tournez.

Rang 10 : 1 m. env., *1 m. end., 1 m. env.* 2 fois, 1 m. env., 3 m. crois. gauche, 1 m. env., mouche, 3 m. env., 1 m. end., 1 m. env., 1 m. end., 2 m. ens. env., tournez.

Rang 11 : comme rang 7.

Rang 12 : 1 m. env., *1 m. end., 1 m. env.* 2 fois, 2 m. env., 3 m. crois. gauche, 4 m. env., 1 m. end., 1 m. env., 1 m. end., 2 m. ens. env., tournez.

Rang 13 : comme rang 5.

Rang 14 : 1 m. env., *1 m. end., 1 m. env.* 2 fois, 3 m. env., 3 m. crois. gauche, 3 m. env., 1 m. end., 1 m. env., 1 m. end., 2 m. ens. env., tournez.

Rang 15 : comme rang 3.

Rang 16 : 1 m. env., *1 m. end., 1 m. env.* 2 fois, 4 m. env., 3 m. crois. gauche, 2 m. env., 1 m. end., 1 m. env., 1 m. end., 2 m. ens. env., tournez.

Rep. ces 16 rangs, puis les rangs 1 à 4 (toutes les m. du 3e rectangle sont tricotées). Ne tournez pas. Laissez ces m. sur l'aig. droite.

5e rectangle

L'endroit étant vers vous, relevez 18 m. en les tricotant à l'endroit, sur l'autre côté du 3e rectangle, tournez.

Rang 1 : 5 m. env., 1 m. end., 6 m. env., 1 m. end., 5 m. env., tournez.

Rang 2 : 6 m. end., 1 m. env., 4 m. crois. der., 1 m. env., 5 m. end., 1 surjet, tournez.

Rang 3 : glissez 1 m., 4 m. env., 1 m. end., 6 m. env., 1 m. end., 5 m. env., tournez.

Rang 4 : *4 m. end., 1 m. env., 1 m. end., 1 m. env.* 2 fois, 3 m. end., 1 surjet, tournez.

Rang 5 : glissez 1 m., 2 m. env., 1 m. end., 1 m. env., 1 m. end., 6 m. env., 1 m. end., 1 m. end., 3 m. env., tournez.

Rang 6 : 2 m. end., *1m. env., 1 m. end.* 2 fois, 1 m. env., 4 m. crois. der., (1 m. env., 1 m. end.) 3 fois, 1 surjet, tournez.

Rang 7 : comme rang 5.

Rang 8 : comme rang 4.

Rang 9 : comme rang 3.

Rep. encore 3 fois les rangs 2 à 9, puis à nouveau les rangs 2 à 4 (toutes les m. du 2e rectangle sont tricotées). Ne tournez pas. Laissez ces m. sur l'aig. droite.

6e rectangle

L'endroit étant vers vous, relevez 18 m. en les tricotant à l'endroit, sur l'autre côté du 2e rectangle, tournez. Travaillez comme indiqué pour le 4e triangle (toutes les m. du 1er rectangle sont tricotées).

7e rectangle

Relevez les m. sur l'autre côté du 1er rectangle et tricotez-les sur le triangle du bord gauche. Tricotez comme indiqué pour le 5e rectangle.*** Sachant que les m. seront tricotées et relevées sur les 7e, 6e, 5e et 4e rectangles au lieu des triangles de base, tricotez de ** à *** encore 3 fois. Travaillez les triangles du bord supérieur de la façon suivante :

Demi-triangle du bord gauche

Travaillez comme pour un triangle du bord gauche jusqu'à ce que vous ayez 10 m. sur l'aiguille en terminant par 1 rang de l'envers.

Les 2 rangs suiv. : *1 m. env., 1 m. end.* 4 fois, 2 m. ens. env., tournez.

Rang suiv. : 1 m. env., *1 m. end., 1 m. env.* 3 fois, 2 m. ens. end., tournez.

Rang suiv. : 1 m. end., *1 m. env., 1 m. end.* 3 fois, 2 m. ens. env., tournez.

Les 2 rangs suiv. : *1 m. env., 1 m. end.* 3 fois, 2 m. ens. env., tournez.

Rang suiv. : 1 m. env., *1 m. end., 1 m. env.* 2 fois, 2 m. ens. end., tournez.

Rang suiv. : 1 m. end., *1 m. env., 1 m. end.* 2 fois, 2 m. ens. env., tournez.

Les 2 rangs suiv. : *1 m. env., 1 m. end.* 2 fois, 2 m. ens. env., tournez.

Rang suiv. : 1 m. env., 1 m. end., 1 m. env., 2 m. ens. end., tournez.

Rang suiv. : 1 m. end., 1 m. env., 1 m. end., 2 m. ens. env., tournez.

Les 2 rangs suiv. : 1 m. env., 1 m. end., 2 m. ens. env., tournez.

Rang suiv. : 1 m. env., 2 m. ens. end., tournez.

Rang suiv. : 1 m. end., 2 m. ens. env., passez la 2e m. sur la 1re et arrêtez sans couper le fil.

1er triangle du bord supérieur

L'envers étant vers vous, relevez 18 m. en les tricotant à l'envers, sur le bord du rectangle, tournez.

Rang 1 : *1 m. env., 1 m. end.* 9 fois, tournez.

Rang 2 : 1 m. end., *1 m. env., 1 m. end.* 8 fois, 2 m. ens. env., tournez.

Rangs 3 et 4 : *1 m. env., 1 m. end.* 8 fois, 2 m. ens. env., tournez.

Rang 5 : 1 m. env., *1 m. end., 1 m. env.* 7 fois, 2 m. ens. end., tournez.

Rang 6 : 1 m. env., *1 m. end., 1 m. env.* 7 fois, 2 m. ens. env., tournez.

Rangs 7 et 8 : *1 m. env., 1 m. end.* 7 fois, 2 m. ens. env., tournez.

Continuez ainsi en faisant 1 dim. à la fin de chaque rang de l'endroit et en tricotant ensemble la dernière m. et la m. suiv. du rectangle à la fin de chaque rang de l'envers jusqu'à ce que toutes les m. soient tricotées et arrêtées, mais ne coupez pas le fil.

2e et 3e triangles du bord supérieur

Travaillez comme indiqué pour le 1er triangle du bord supérieur.

Demi-triangle du bord droit

L'envers étant vers vous, relevez 18 m. en les tricotant à l'envers, sur le bord du dernier triangle, tournez.

Rang suiv. : *1 m. env., 1 m. end.*, tout le rang.

Rang suiv. : *1 m. end., 1 m. env.* jusqu'aux 2 dernières m. : 2 m. ens. end.

Rang suiv. : 1 m. end., *1 m. env., 1 m. end.* jusqu'aux 2 dernières m. : 2 m. ens. env.

Continuez ainsi au point de riz en faisant 1 dim. à la fin de chaque rang jusqu'à ce qu'il n'y ait plus de m. Arrêtez.

Devant

Travaillez comme indiqué pour le dos jusqu'à ***. Sachant que les m. seront tricotées et relevées sur les 7e, 6e, 5e et 4e rectangles au lieu des triangles de base, tricotez encore 2 fois de ** à ***.

Encolure

Tricotez le triangle du côté gauche et le 1er rectangle pour le côté droit, tournez.

Triangle du bord droit de l'encolure

Rang 1 : 1 m. end., 1 m. env., tournez.

Rang 2 : 1 m. env., 1 m. end., tournez.

Rang 3 : 1 m. env. et 1 m. end. dans la 1re m., 2 m. ens. env.

Rang 4 : 1 m. env., 1 m. end., 1 m. env., tournez.

Rang 5 : 1 m. end. et 1 m. env. dans la 1re m., 1 m. end., 2 m. ens. env., tournez.

Continuez ainsi au point de riz en tricotant 2 fois dans la 1re m. et en tricotant la dernière m. avec la m. suiv. du rectangle, à tous les rangs de l'endroit jusqu'à ce vous obteniez 18 m. Ne tournez pas. Laissez ces m. sur l'aig. droite. Tricotez le 7e rectangle, le demi-triangle du bord gauche et le 1er triangle du bord supérieur. Arrêtez. L'envers étant vers vous, glissez les 18 premières m. du rectangle sur le côté gauche de l'encolure sur un arrête-mailles. Ajoutez du fil et tricotez le 3e rectangle, le triangle du bord droit et le 4e rectangle pour le côté gauche de l'encolure.

Triangle du bord gauche de l'encolure

L'endroit étant vers vous, relevez 18 m., en les tricotant à l'endroit, sur le bord du rectangle, tournez.

Rang 1 : *1 m. end., 1 m. env.* 9 fois, tournez.

Rang 2 : *1 m. env., 1 m. end.* 8 fois, 2 m. ens. env., tournez.

Rang 3 : 1 m. env., *1 m. end., 1 m. env.* 8 fois.

Rang 4 : 1 m. env., *1 m. end., 1 m. env.* 7 fois, 2 m. ens. end.

Continuez ainsi au point de riz en faisant 1 dim. à la fin de tous les rangs de l'endroit jusqu'à ce que toutes les m. aient été tricotées. Arrêtez mais ne coupez pas le fil. Tricotez le 3e triangle du bord supérieur et le demi-triangle du bord droit.

Manches

Montez 56 m. avec les aig. n° 3,5.

1er rang de côtes (endroit) : 2 m. env., 2 m. end., *2 m. env., 4 m. end., 2 m. env., 2 m. end.* jusqu'aux 2 dernières m. : 2 m. env.

2e rang de côtes : 2 m. end., 2 m. env., *2 m. env., 4 m. env., 2 m. end., 2 m. env.* jusqu'aux 2 dernières m. : 2 m. end.

3e et 4e rangs de côtes : comme rangs 1 et 2.

5e rang de côtes : 2 m. env., 2 m. end., *2 m. env., 4 m. crois. der., 2 m. env., 2 m. end.* jusqu'aux 2 dernières m. : 2 m. env.

6e rang : comme rang 2.

Rep. les 3e et 6e rangs encore 2 fois, puis tricotez à nouveau les rangs 1 et 2.

Prenez les aig. n° 4,5.

Rang 1 : *1 m. end., 1 m. env.* 12 fois, 8 m. end., (1 m. env., 1 m. end.) 12 fois.

Rang 2 : *1 m. end., 1 m. env.* 12 fois, 8 m. end., (1 m. env., 1 m. end.) 12 fois.

Rang 3 : *1 m. end., 1 m. env.* 12 fois, 4 m. crois. der., 4 m. crois. dev., (1 m. env., 1 m. end.) 12 fois.

Rang 4 : comme rang 2.

Rangs 5 et 6 : comme rangs 1 et 2.

Rang 7 : *1 m. end., 1 m. env. *12 fois, 4 m. crois. dev., 4 m. crois. der., (1 m. env., 1 m. end.) 12 fois.

Rang 8 : comme rang 2.

Ces 8 rangs forment le motif. Continuez le motif. Faites 1 aug. au début et à la fin du rang suiv., puis 5 fois tous les 4 rangs, et ensuite tous les 6 rangs jusqu'à obtention de 94 m. Incorporez les aug. au point de riz. Travaillez tout droit jusqu'à une hauteur totale de 46 cm en terminant par 1 rang de l'envers. Rabattez au point de riz.

Bande d'encolure

Placez des repères aux trois quarts du bord supérieur sur chaque côté du V. L'endroit étant vers vous et en commençant au repère, relevez 7 m. avec les aig. n° 3,5 en tricotant à l'endroit, sur le côté gauche de l'encolure, puis 18 m. du rectangle ; relevez 25 m. en les tricotant à l'endroit, sur le côté droit de l'encolure jusqu'au repère. Vous obtenez 50 m.

1e rang de côtes : 2 m. env., *2 m. end., 2 m. env.*, tout le rang.

2e rang de côtes : 2 m. end., * 2 m. env., 2 m. end.* 5 fois, 1 m. env., 2 m. ens. end., 1 surjet, 1 m. env., *2 m. end., 2 m. env.* 5 fois, 2 m. end.

3e rang de côtes : 22 m. de côtes, 2 m. ens. torses env., 2 m. ens. env., terminez en côtes.

4e rang de côtes : 21 m. de côtes, 2 m. ens. end., 1 surjet, terminez en côtes.

Faites encore 3 rangs de côtes avec la dim. au centre comme aux rangs précédents.

Rabattez en côtes avec la dim. au centre.

Col

Cousez les épaules. L'endroit étant vers vous, avec les aig. n° 3,5, relevez 24 m. à partir du repère, en les tricotant à l'endroit, sur le côté droit de l'encolure, 34 m. sur l'encolure du dos et 24 m. sur le côté gauche de l'encolure jusqu'au repère. Vous obtenez 82 m.

Rang avec aug. : 2 m. end., *2 m. end. dans la m. suiv., 1 m. end.*, tout le rang. Vous obtenez 122 m.

En commençant par un 2e rang, tricotez 7 rangs de côtes comme indiqué pour le bord du dos.

Avec les aig. n° 4,5, tricotez encore 14 rangs du motif.

Montage

Cousez le bord de la bande d'encolure au col. Placez le centre des manches sur la couture d'épaule et cousez-les. Faites les coutures latérales et celles des manches.

(Voir aussi l'atelier des finitions).

CHAPITRE SEPT

L'atelier des détails décoratifs

Des broderies, des perles, des sequins ou encore un ourlet décoratif peuvent agrémenter un tricot. Vous pouvez, par exemple, donner un style tyrolien à une veste réalisée au point de diamant en brodant quelques fleurs ou enrichir un vêtement en remplaçant l'habituel bord en côtes par une bordure de dentelle ou un ourlet à picots. Le point de maille permet de broder de petites surfaces de couleur au lieu de les tricoter, donnant ainsi un beau relief à l'ouvrage. Ce point est aussi très précieux pour masquer des erreurs dans un jacquard.

La fabrication de franges, de pompons et de cordelières est une façon amusante de faire découvrir le travail manuel aux enfants. La classe de mon fils m'a plusieurs fois demandé d'organiser des petits stages d'activité textile. Après quelques tentatives peu concluantes, j'ai réussi à passionner un groupe d'écoliers âgés de 7 ans le jour où je leur ai appris à fabriquer des poussins et des bonhommes de neige avec des pompons. J'étais ravie d'avoir enfin pu les enthousiasmer, et eux étaient très fiers d'avoir créé quelque chose de leurs petites mains.

Les points de broderie

Quelques motifs brodés peuvent très facilement embellir un vêtement tout simple. Vous pouvez par exemple décorer l'intérieur de torsades ou encore mettre en valeur une bordure, un col, une poche. Sachez qu'il est bien plus aisé de broder les parties d'un vêtement avant qu'elles ne soient assemblées.

Point de tige

C'est une ligne continue de points cousus de gauche à droite, comme le point arrière (voir p. 152), mais chaque point recouvre la moitié du point précédent (comme l'envers du point arrière).

Point de croix

Le point de croix est constitué par 2 points se croisant à angle droit. Selon les besoins, il peut être exécuté sur 1 ou 2 mailles et rangs. Piquez l'aiguille entre les mailles pour ne pas fendre le fil.

Point de chaînette

Il s'effectue verticalement, horizontalement, en diagonale ou bien en courbe sur le tricot. Piquez l'aiguille à l'endroit d'où elle est sortie et tirez-la pour faire le point suivant en formant une boucle avec le fil sous la pointe de l'aiguille.

Point de bouclette

C'est une manière de faire des points de chaînette séparés en les fixant par un petit point pour former des « pétales » pouvant être groupés pour composer une fleur à plusieurs pétales (4 ou 5 le plus souvent).

Point de maille horizontal

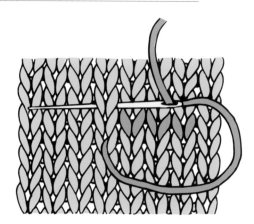

Travaillez de droite à gauche. Enfilez un fil de même grosseur que celui du tricot dans une aiguille à tapisserie et tissez le fil de manière invisible dans l'envers de l'ouvrage. Sortez l'aiguille à la base de la 1re maille à recouvrir, passez-la autour du haut de la maille, puis piquez-la à travers la base de la même maille pour couvrir la maille d'origine. Pour faire le point suivant, passez l'aiguille à travers la base de la maille suivante de gauche. Continuez jusqu'à ce que le nombre de mailles voulu ait été recouvert.

Point de grébiche

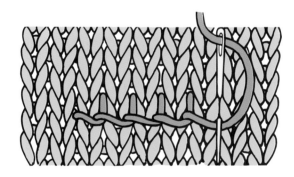

Ce point peut être utilisé sur un bord sans côtes, autour d'une encolure, par exemple, ou bien pour décorer une partie du tricot. Il forme une série de points droits et verticaux séparés par des intervalles réguliers et terminés par des boucles à l'endroit où l'aiguille sort. Il s'effectue de gauche à droite.

Point de maille vertical

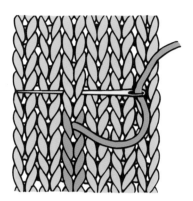

Travaillez de bas en haut. Sortez l'aiguille à la base de la 1re maille à recouvrir, passez-la autour du haut de la maille, piquez-la à travers la base de la même maille, puis sortez-la à la base de la maille du dessus pour former une chaîne verticale.

Point noué

On se sert souvent de ce point pour réaliser le centre de fleurs brodées au point de bouclette. Passez l'aiguille à travers l'ouvrage sur l'endroit et enroulez le fil deux fois autour de l'aiguille en tirant doucement pour bien serrer. Piquez l'aiguille à l'endroit où elle est sortie et tirez le fil à travers pour former un petit nœud sur l'endroit. Si le nœud a tendance à sortir sur l'envers, piquez l'aiguille une demi-maille plus loin.

Le point fourrure

*Même si le point fourrure peut être tricoté sur tout un vêtement, il est plus adapté
pour créer un effet de fausse fourrure sur un col ou des poignets, par exemple.*

Faire une boucle

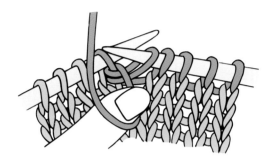

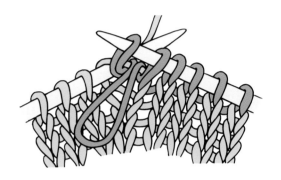

1 Sur l'endroit de l'ouvrage, tricotez jusqu'à l'emplacement de la boucle. Tricotez la maille suivante sans laisser la boucle tomber de l'aiguille gauche. Ramenez le fil devant, entre les aiguilles, et enroulez-le une fois, dans le sens des aiguilles d'une montre, autour de votre pouce gauche.

2 Ramenez le fil derrière, entre les aiguilles, et tricotez dans la même maille sur l'aiguille gauche (vous faites ainsi 2 mailles à partir de la maille d'origine). Faites glisser la maille de l'aiguille gauche.

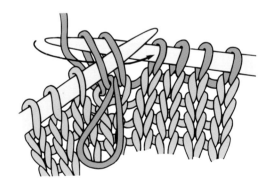

3 Remettez les 2 mailles sur l'aiguille gauche et tricotez-les ensemble à travers le dos des boucles pour compléter le point de fourrure.

CONSEIL : LES POINTS DE FOURRURE

*Ces deux techniques peuvent être employées pour
fabriquer de la fausse fourrure : celle des boucles
groupées donnera une texture plus épaisse et dense que
celle des boucles séparées. Sachez que les boucles
séparées peuvent être coupées sans que le tricot ne se
défasse, tandis que les boucles groupées ne peuvent pas
être ouvertes puisqu'elles font partie de la maille.
Les boucles peuvent aussi servir de bord à franges pour
une écharpe ou un pull, pour changer de la méthode
classique montrée en page de droite.
Évitez de tricoter des boucles dans la layette,
car les enfants s'y prennent souvent les doigts.*

Les boucles groupées

1 Sur un rang de l'envers, tricotez jusqu'à l'emplacement de la boucle. Placez le fil derrière (endroit) et piquez l'aiguille droite à l'endroit dans la maille suivante. En fonction de la taille désirée pour la boucle, mettez 1 ou 2 doigts de la main gauche derrière l'aiguille droite, enroulez le fil 3 fois autour de la pointe de l'aiguille droite et de vos doigts, dans le sens des aiguilles d'une montre, en terminant avec le fil sur l'aiguille.

2 Avec l'aiguille droite, tirez les boucles à travers la maille, sans la laisser tomber.

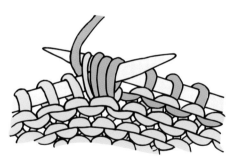

3 Enlevez vos doigts des boucles, mettez les nouvelles boucles de l'aiguille droite sur l'aiguille gauche et tricotez-les avec la maille d'origine, à travers le dos des mailles.
En maintenant les boucles couchées avec les doigts de la main gauche sur l'envers de l'ouvrage, passez la maille des boucles sur l'aiguille droite.

Les franges

Voici la façon classique de border une écharpe, à éviter sur la layette car les brins peuvent se détacher.

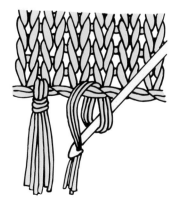

Le nombre de brins de chaque gland et leur espacement déterminent l'épaisseur de la frange. Coupez le nombre voulu de brins pour un gland à une longueur légèrement supérieure à celle du double du gland terminé. Pliez les brins en deux et, avec un crochet, tirez le bout plié à travers le bord du tricot. Passez les extrémités libres des brins à travers la boucle et tirez bien pour faire un nœud. Une fois la frange finie, égalisez les extrémités pour obtenir un fini plus net.

Tricoter avec des perles

Parfaites pour créer une surface lumineuse, les perles sont maintenues par le brin devant la maille glissée, et pendent légèrement à la surface du tricot.

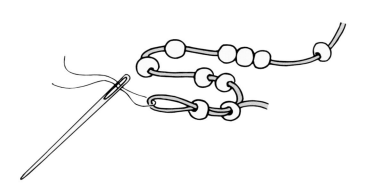

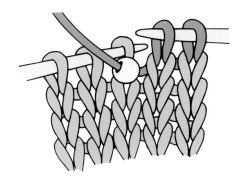

1 Pliez du fil à coudre en deux et enfilez cette boucle dans une aiguille. Passez l'extrémité du fil à tricoter à travers la boucle de fil à coudre et repliez-la. Glissez les perles sur l'aiguille, le fil à coudre, puis le fil à tricoter jusqu'à ce que vous ayez le nombre de perles voulu sur le fil.

2 Sur un rang endroit, tricotez jusqu'à l'emplacement de la maille avec perle. Ramenez le fil devant et poussez la perle contre la maille précédente de manière à ce qu'elle soit couchée sur le devant de la maille suivante.

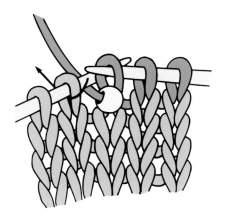

3 Glissez la maille suivante à l'envers et laissez la perle devant la maille glissée. Ramenez le fil derrière et continuez normalement.

CONSEIL : LES PERLES

Dans la plupart des modèles, le nombre de perles à enfiler sur une pelote est spécifié. Si ce n'est pas le cas, enfilez plus de perles que nécessaire et comptez le nombre de perles utilisées quand la pelote est finie. Enfilez toujours toutes les perles avant de commencer à tricoter, car une fois la pelote entamée vous ne pourrez pas en ajouter, sauf en défaisant la pelote et en enfilant les perles par l'autre extrémité ou en cassant le fil. Le poids des perles doit correspondre au fil utilisé. Le trou doit être assez grand pour laisser passer une double épaisseur de fil. Les perles sont tricotées à intervalles comptés ou irréguliers. Elles peuvent être intégrées à un motif de dentelle ou de texture. Le tricot doit être assez serré pour empêcher qu'elles ne passent à travers ou que leur poids ne déforme le vêtement. Avant d'enfiler les perles, vérifiez qu'elles supportent lavage et repassage, car certaines déteignent ou fondent.

Ourlet dents de chat

Cette délicate bordure convient particulièrement à la layette. Quand l'ourlet est replié,
le rang de trous-trous crée des petits picots au bord du vêtement.

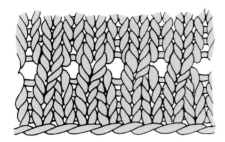

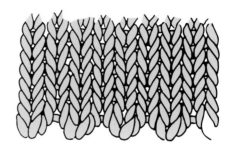

Montez un nombre impair de mailles avec des aiguilles de deux numéros plus fines que celles utilisées pour le corps du tricot. Tricotez la longueur voulue au point de jersey en finissant par 1 rang à l'envers (l'ourlet peut être très étroit, parfois seulement de 2 rangs avant le trou-trou).

Tricotez le rang avec trous-trous comme suit : tricotez la 1ʳᵉ maille à l'endroit, ★ramenez le fil devant l'ouvrage entre les aiguilles puis tricotez les 2 mailles suivantes ensemble à l'endroit ; rep. à ★, tout le rang. Continuez au point de jersey et avec les aiguilles plus grosses pour tricoter le reste de la bordure, ce qui n'empêche pas le corps du tricot d'être tricoté avec un autre point.

L'ourlet est replié sur le rang à trous-trous et cousu, ce qui donne un bord à petites dents.

Bordure crochetée

La bordure crochetée s'utilise pour orner une bordure ou lui donner un aspect net. Travaillez avec la même
grosseur de fil que celle du tricot et avec un crochet de la grosseur des aiguilles ou un peu plus gros.

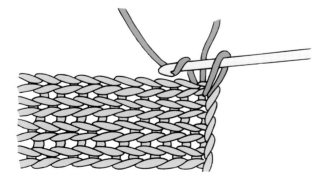

1 Piquez le crochet d'avant en arrière sous la 1ʳᵉ maille, à l'extrémité de l'endroit de l'ouvrage ; enroulez le fil autour du crochet et tirez une boucle à travers l'envers. Enroulez à nouveau le fil autour du crochet et tirez-le à travers la boucle.

2 Piquez le crochet 1 ou 2 rangs ou mailles en avant, tirez une boucle à travers ; enroulez le fil autour du crochet et tirez-le à travers les 2 boucles sur le crochet. Vérifiez que la bordure n'est ni trop lâche ni trop serrée et qu'elle ne vrille pas.

Fabrication d'un pompon

Les pompons peuvent servir à décorer un chapeau ou à confectionner des petits jouets. Les enfants s'amusent en les fabriquant et adorent choisir différentes couleurs et épaisseurs de fil dans votre panier à laines.

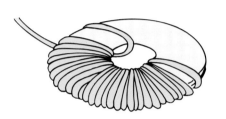

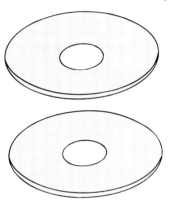

1 Choisissez la taille du pompon, puis découpez 2 cercles de carton, dont le diamètre doit être un peu plus grand que celui du pompon fini. Découpez un petit trou au centre de chaque cercle (de la moitié du diamètre des cercles environ). Plus le trou sera grand, plus le pompon sera fourni, mais s'il est trop grand, le pompon sera ovale au lieu d'être rond.

2 Superposez les 2 cercles, enroulez le fil autour de l'anneau (prenez plusieurs épaisseurs de fil pour aller plus vite), jusqu'à ce que ce dernier soit complètement recouvert. Comme le trou central devient de plus en plus petit, aidez-vous d'une aiguille à coudre pour passer le fil.

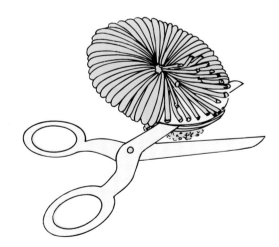

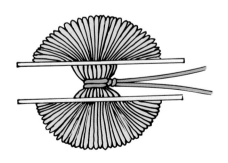

3 Coupez le fil au bord extérieur entre les 2 anneaux avec des ciseaux bien aiguisés. Vérifiez que tout le fil a été coupé.

4 Séparez légèrement les 2 cercles, passez un fil entre eux et faites un nœud serré en laissant suffisamment de fil pour coudre le pompon. Enlevez les 2 cercles et faites bouffer le pompon. Coupez les extrémités des fils pour que le contour soit lisse.

Fabrication d'une cordelière

Une cordelière s'utilise, passée au travers de trous-trous, pour froncer tissu ou tricot ou bien pour décorer vos créations. La longueur et la grosseur de fil sont fonction de l'usage que vous souhaitez en faire.

1 Coupez le nombre de brins nécessaire, d'une longueur 2 ou 3 fois supérieure à celle de la cordelière finie (4 brins de 1 m donneront une cordelière de 8 brins d'une longueur de 40 cm environ, par exemple). Nouez les extrémités des brins ensemble, assurez-vous qu'ils sont de longueur égale.

2 Attachez une extrémité à la poignée d'une porte et piquez une aiguille à tricoter à travers l'autre. Faites tourner l'aiguille dans le sens des aiguilles d'une montre jusqu'à ce que les brins soient tordus de façon très serrée. Plus les fils sont tordus, plus la corde est serrée et la longueur finale réduite.

3 En tenant le milieu de la corde d'une main, joignez les 2 extrémités et laissez les 2 moitiés s'entortiller. Tenez la corde assez droit pour éviter que les 2 moitiés ne s'emmêlent. Nouez les extrémités ensemble et lissez. Déterminez la longueur de la corde, faites un nœud dans le bout replié à l'emplacement voulu et coupez les extrémités.

CONSEIL : CORDELIÈRES ET TRESSES

Vous pouvez tordre 2 ou 3 brins de différentes couleurs pour fabriquer une corde rayée. Ce type de cordelière est traditionnellement utilisé pour border les coussins. Facile à réaliser, la cordelière tressée (ci-dessous) est un autre type de bordure. Procédez comme si vous tressiez des cheveux en prenant plusieurs brins pour chaque branche de la tresse. Chaque brin doit être environ 25 % plus long que la tresse finie. Là encore, vous pouvez tresser plusieurs couleurs ensemble.

La famille des points décoratifs

Un détail suffit à enrichir un modèle uni ou à moderniser un vêtement classique. J'ajoute souvent des bordures en dentelle aux cols et aux manchettes ou je m'en sers pour remplacer des côtes et donner de l'élégance à un cardigan à torsades en coton, par exemple. La plupart des bordures montrées ici sont tricotées verticalement sur un petit nombre de mailles et sont cousues au point arrière sur le vêtement.

Bordure de diamants

Cette bordure est travaillée verticalement sur 12 m.
Note : le nombre de m. varie à certains rangs. Tous les jetés et les surjets sont à l'endroit.
Rang 1 et tous les rangs impairs (endroit) : *1 m. end., 1 jeté, 2 m. ens. env., 1 m. end.*, tout le rang.
Rang 2 : 2 m. end., 1 jeté, 3 m. end., 1 jeté, 1 surjet, 2 m. end., 1 jeté, 2 m. ens. env., 1 m. end. Vous obtenez 13 m.
Rang 4 : 2 m. end., 1 jeté, 5 m. end., 1 jeté, 1 surjet, 1 m. end., 1 jeté, 2 m. ens. env., 1 m. end. Vous obtenez 14 m.
Rang 6 : 2 m. end., 1 jeté, 7 m. end., 1 jeté, 1 surjet, 1 jeté, 2 m. ens. env., 1 m. end. Vous obtenez 15 m.
Rang 8 : 1 m. end., 2 m. ens. end., 1 jeté, 1 surjet, 3 m. end., 2 m. ens. end., 1 jeté, 2 m. end., 1 jeté, 2 m. ens. env., 1 m. end. Vous obtenez 14 m.
Rang 10 : 1 m. end., 2 m. ens. end., 1 jeté, 1 surjet, 1 m. end., 2 m. ens. end., 1 jeté, 3 m. end., 1 jeté, 2 m. ens. env., 1 m. end. Vous obtenez 13 m.
Rang 12 : 1 m. end., 2 m. ens. end., 1 jeté, 1 surjet double, 1 jeté, 4 m. end., 1 jeté, 2 m. ens. env., 1 m. end. Vous obtenez 12 m.
Rep. ces 12 rangs.

Double bordure de diamants

Cette bordure est travaillée verticalement sur 9 m.
Note : le nombre de m. varie à certains rangs. Tous les jetés sont à l'endroit.
Rang 1 et tous les rangs impairs (endroit) : à l'endroit.
Rang 2 : 3 m. end., *2 m. ens. end., 1 jeté* 2 fois, 1 m. end., 1 jeté, 1 m. end. Vous obtenez 10 m.
Rang 4 : 2 m. end., *2 m. ens. end., 1 jeté* 2 fois, 3 m. end., 1 jeté, 1 m. end. Vous obtenez 11 m.
Rang 6 : 1 m. end., *2 m. ens. end., 1 jeté* 2 fois, 5 m. end., 1 jeté, 1 m. end. Vous obtenez 12 m.
Rang 8 : 3 m. end., *1 jeté, 2 m. ens. end.* 2 fois, 1 m. end., 2 m. ens. end., 1 jeté, 2 m. ens. end. Vous obtenez 11 m.
Rang 10 : 4 m. end., 1 jeté, 2 m. ens. end., 1 jeté, 3 m. ens. end., 1 jeté, 2 m. ens. end. Vous obtenez 10 m.
Rang 12 : 5 m. end., 1 jeté, 3 m. ens. end., 1 jeté, 2 m. ens. end. Vous obtenez 9 m.
Rep. ces 12 rangs.

Bordure de feuilles

Cette bordure est travaillée verticalement sur 8 m.
Note : le nombre de m. varie à certains rangs. Tous les jetés et les surjets sont à l'endroit, sauf précision contraire.
Rang 1 (endroit) : 5 m. end., 1 jeté, 1 m. end., 1 jeté, 2 m. end. Vous obtenez 10 m.
Rang 2 : 6 m. env., 1 aug. dans la m. suiv., 3 m. end. Vous obtenez 11 m.
Rang 3 : 4 m. end., 1 m. env., 2 m. end., 1 jeté, 1 m. end., 1 jeté, 3 m. end. Vous obtenez 13 m.

Rang 4 : 8 m. env., 1 aug. dans la m. suiv., 4 m. end. Vous obtenez 14 m.

Rang 5 : 4 m. end., 2 m. env., 3 m. end., 1 jeté, 1 m. end., 1 jeté, 4 m. end. Vous obtenez 16 m.

Rang 6 : 10 m. env., 1 aug. dans la m. suiv., 5 m. end. Vous obtenez 17 m.

Rang 7 : 4 m. end., 3 m. env., 4 m. end., 1 jeté, 1 m. end., 1 jeté, 5 m. end. Vous obtenez 19 m.

Rang 8 : 12 m. env., 1 aug. dans la m. suiv., 6 m. end. Vous obtenez 20 m.

Rang 9 : 4 m. end., 4 m. env., 1 jeté env., 1 surjet, 7 m. end., 2 m. ens. end., 1 m. end. Vous obtenez 18 m.

Rang 10 : 10 m. env., 1 aug. dans la m. suiv., 7 m. end. Vous obtenez 19 m.

Rang 11 : 4 m. end., 5 m. env., 1 jeté env., 1 surjet, 5 m. end., 2 m. ens. end., 1 m. end. Vous obtenez 17 m.

Rang 12 : 8 m. env., 1 aug. dans la m. suiv., 2 m. end., 1 m. env., 5 m. end. Vous obtenez 18 m.

Rang 13 : 4 m. end., 1 m. env., 1 m. end., 4 m. env., 1 jeté env., 1 surjet, 3 m. end., 2 m. ens. end., 1 m. end. Vous obtenez 16 m.

Rang 14 : 6 m. env., 1 aug. dans la m. suiv., 3 m. end., 1 m. env., 5 m. end. Vous obtenez 17 m.

Rang 15 : 4 m. end., 1 m. env., 1 m. end., 5 m. env., 1 jeté env., 1 surjet, 1 m. end., 2 m. ens. end., 1 m. end. Vous obtenez 15 m.

Rang 16 : 4 m. env., 1 aug. dans la m. suiv., 4 m. end., 1 m. env., 5 m. end. Vous obtenez 16 m.

Rang 17 : 4 m. end., 1 m. env., 1 m. end., 6 m. env., 1 jeté env., 1 surjet double, 1 m. end. Vous obtenez 14 m.

Rang 18 : 2 m. ens. env., en comptant la m. env. sur l'aig. droite comme 1re m., rabattez 5 m., 1 m. end., 1 m. env., 5 m. end. Vous obtenez 8 m.
Rep. ces 18 rangs.

Bordure au point mousse

Cette bordure est travaillée verticalement sur 10 m.
Note : le nombre de m. varie à certains rangs. Tous les jetés sont à l'endroit.

Rang 1 (endroit) : 3 m. end., *1 jeté, 2 m. ens. end.* 2 fois, 1 jeté double, 2 m. ens. end., 1 m. end. Vous obtenez 11 m.

Rang 2 : 3 m. end., 1 m. env., 2 m. end., *1 jeté, 2 m. ens. end.* 2 fois, 1 m. end.

Rang 3 : 3 m. end., *1 jeté, 2 m. ens. end.* 2 fois, 1 m. end., 1 jeté double, 2 m. ens. end., 1 m. end. Vous obtenez 12 m.

Rang 4 : 3 m. end., 1 m. env., 3 m. end., *1 jeté, 2 m. ens. end.* 2 fois, 1 m. end.

Rang 5 : 3 m. end., *1 jeté, 2 m. ens. end.* 2 fois, 2 m. end., 1 jeté double, 2 m. ens. end., 1 m. end. Vous obtenez 13 m.

Rang 6 : 3 m. end., 1 m. env., 4 m. end., *1 jeté, 2 m. ens. end.* 2 fois, 1 m. end.

Rang 7 : 3 m. end., *1 jeté, 2 m. ens. end.* 2 fois, 6 m. end.

Rang 8 : rabattez 3 m., 4 m. env., *1 jeté, 2 m. ens. end.* 2 fois, 1 m. end.
Rep. ces 8 rangs.

Bordure crête d'oiseau

Cette bordure est travaillée verticalement sur 7 m.
Note : le nombre de m. varie à certains rangs. Tous les jetés sont à l'endroit.

Rang 1 (endroit) : 1 m. end., *2 m. ens. end., 1 jeté double* 2 fois, 2 m. end. Vous obtenez 9 m.

Rang 2 : 3 m. end., *1 m. env., 2 m. end.* 2 fois.

Rang 3 : 1 m. end., 2 m. ens. end., 1 jeté double, 2 m. ens. end., 4 m. end.

Rang 4 : rabattez 2 m., 3 m. end., 1 m. env., 2 m. end. Vous obtenez 7 m.
Rep. ces 4 rangs.

Bordure feuilles de saule

Cette bordure est travaillée verticalement sur 10 m.
Note : le nombre de m. varie à certains rangs. Tous les jetés sont à l'endroit.

Rang 1 (endroit) : 1 m. glissée, 2 m. end., 1 jeté, 2 m. ens. end., *1 jeté double, 2 m. ens. end.* 2 fois, 1 m. end. Vous obtenez 12 m.

Rang 2 : 3 m. end., *1 m. env., 2 m. end.* 2 fois, 1 jeté, 2 m. ens. end., 1 m. end.

Rang 3 : 1 m. glissée, 2 m. end., 1 jeté, 2 m. ens. end., 2 m. end., *1 jeté double, 2 m. ens.end.* 2 fois, 1 m. end. Vous obtenez 14 m.

Rang 4 : 3 m. end., 1 m. env., 2 m. end., 1 m. env., 4 m. end., 1 jeté, 2 m. ens. end., 1 m. end.

Rang 5 : 1 m. glissée, 2 m. end., 1 jeté, 2 m. ens. end., 4 m. end., *1 jeté double, 2 m. ens. end.* 2 fois, 1 m. end. Vous obtenez 16 m.

Rang 6 : 3 m. end., 1 m. env., 2 m. end., 1 m. env., 6 m. end., 1 jeté, 2 m. ens. end., 1 m. end.

Rang 7 : 1 m. glissée, 2 m. end., 1 jeté, 2 m. ens. end., 11 m. end.

Rang 8 : rabattez 6 m., 6 m. end., 1 jeté, 2 m. ens. end., 1 m. end.
Vous obtenez 10 m.
Rep. ces 8 rangs.

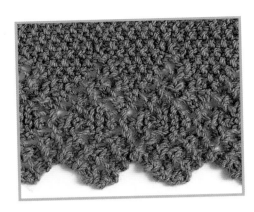

Bordure mousse et fagots

Cette bordure est travaillée verticalement sur 17 m.

Note : le nombre de m. varie à certains rangs. Tous les jetés sont à l'endroit.

Rang 1 (endroit) : 2 m. end., 1 jeté, 3 m. end., 1 jeté, 2 m. ens. end., ★1 m. env., 1 m. end.★ 5 fois. Vous obtenez 18 m.

Rang 2 : 1 jeté (pour créer 1 m.), 2 m. ens. end., ★1 m. end., 1 m. env.★ 3 fois, 1 m. end., 2 m. ens. end., 1 jeté, 5 m. end., 1 jeté, 2 m. end. Vous obtenez 19 m.

Rang 3 : 2 m. end., 1 jeté, 1 m. end., 2 m. ens. end., 1 jeté, 1 m. end., 1 jeté, 2 m. ens. end., 1 m. end., 1 jeté, 2 m. ens. end., ★1 m. env., 1 m. end.★ 4 fois. Vous obtenez 20 m.

Rang 4 : 1 jeté, 2 m. ens. end., ★1 m. end., 1 m. env.★ 2 fois, (1 m. end., 2 m. ens. end., 1 jeté) 2 fois, 3 m. end., 1 jeté, 2 m. ens. end., 1 m. end., 1 jeté, 2 m. end. Vous obtenez 21 m.

Rang 5 : 2 m. end., 1 jeté, 1 m. end., 2 m. ens. end., 1 jeté, 5 m. end., 1 jeté, 2 m.ens. end., 1 m. end., 1 jeté, 2 m. ens. end., ★1 m. env., 1 m. end.★ 3 fois. Vous obtenez 22 m.

Rang 6 : 1 jeté, 2 m. ens. end., 1 m. end., 1 m. env., ★1 m. end., 2 m. ens. end., 1 jeté★ 2 fois, 7 m. end., 1 jeté, 2 m. ens. end., 1 m. end., 1 jeté, 2 m. end. Vous obtenez 23 m.

Rang 7 : ★2 m. ens. end., 1 m. end., 1 jeté★ 2 fois, 2 m. ens. end., 3 m. end., (2 m. ens. end., 1 jeté, 1 m. end.) 2 fois, ★1 m. env., 1 m. end.★ 3 fois. Vous obtenez 22 m.

Rang 8 : 1 jeté, 2 m. ens. end., ★1 m. end., 1 m. env.★ 3 fois, 1 jeté, 2 m. ens. end., 1 m. end., 1 jeté, 2 m. ens. end., (1 m. end., 2 m. ens. end., 1 jeté) 2 fois, 1 m. end., 2 m. ens. end. Vous obtenez 21 m.

Rang 9 : ★2 m. ens. end., 1 m. end., 1 jeté★ 2 fois, 3 m. ens. end., 1 jeté, 1 m. end., 2 m. ens. end., 1 jeté, (1m. end., 1 m. env.) 4 fois, 1 m. end. Vous obtenez 20 m.

Rang 10 : 1 jeté, 2 m. ens. end., ★1 m. end., 1 m. env.★ 4 fois, 1 jeté, 2 m. ens. end., 3 m. end., 2 m. ens. end., 1 jeté, 1 m. end., 2 m. ens. end. Vous obtenez 19 m.

Rang 11 : 2 m. ens. end., 1 m. end., 1 jeté, 2 m. ens. end., 1 m. end., 2 m. ens. end., 1 jeté, ★1 m. end., 1 m. env.★ 5 fois, 1 m. end. Vous obtenez 18 m.

Rang 12 : 1 jeté, 2 m. ens. end., ★1 m. end., 1 m. env.★ 5 fois, 1 jeté, 3 m. ens. end., 1 jeté, 1 m. end., 2 m. ens. end. Vous obtenez 17 m.
Rep. ces 12 rangs.

Bordure de vagues

Cette bordure est travaillée verticalement sur 15 m.

Note : le nombre de m. varie à certains rangs. Tous les jetés et les surjets sont à l'endroit.

Rang 1 et tous les rangs impairs (envers) : 2 m. end., à l'envers jusqu'aux 2 dernières m. : 2 m. end.

Rang 2 : 1 m. glissée, 4 m. end., 1 surjet double, 2 m. end., ★1 jeté, 2 m. ens. end.★ 2 fois, 1 m. end. Vous obtenez 13 m.

Rang 4 : 1 m. glissée, 3 m. end.,1 surjet, 2 m. end., ★1 jeté, 2 m. ens. end.★ 2 fois, 1 m. end. Vous obtenez 12 m.

Rang 6 : 1 m. glissée, 2 m. end., 1 surjet, 2 m. end., ★1 jeté, 2 m. ens. end.★ 2 fois, 1 m. end. Vous obtenez 11 m.

Rang 8 : 1 m. glissée, 1 m. end., 1 surjet, 2 m. end., ★1 jeté, 2 m. ens. end.★ 2 fois, 1 m. end. Vous obtenez 10 m.

Rang 10 : 1 m. end., 1 surjet, 2 m. end., 1 jeté, 1 m. end., 1 jeté, 2 m. ens. end., 1 jeté, 2 m. end. Vous obtenez 11 m.

Rang 12 : 1 m. glissée, ★3 m. end., 1 jeté★ 2 fois, 2 m. ens. end., 1 jeté, 2 m. end. Vous obtenez 13 m.

Rang 14 : 1 m. glissée, 3 m. end., 1 jeté, 5 m. end., 1 jeté, 2 m. ens. end., 1 jeté, 2 m. end. Vous obtenez 15 m.
Rep. ces 14 rangs.

Bordure découpée

Nombre de m. divisible par 13 + 2 m.

Note : le nombre de m. varie à certains rangs. Tous les jetés et les surjets sont à l'endroit, sauf précision contraire.

Rang 1 (endroit) : 3 m. end., ★1 surjet, tricotez 5 m. ens. comme suit : glis. 2 m., 3 m. ens. end., rab. les 2 m. glissées par-dessus, 2 m. ens., 4 m. end. ; rep. à ★ jusqu'aux 12 dernières m. : 1 surjet, 5 m. ens., 2 m. ens. end., 3 m. end.

Rang 2 : 4 m. env., ★1 jeté env., 1 m. env., 1 jeté env., 6 m. env. ; rep. à ★ jusqu'aux 5 dernières m. : 1 jeté env., 1 m. env., 1 jeté env., 4 m. env.

Rang 3 : 1 m. end., 1 jeté, ★2 m. end., 1 surjet, 1 m. end., 2 m. ens. end.,
2 m. end., 1 jeté ; rep. à ★ jusqu'à la dernière m. : 1 m. end.

Rang 4 : 2 m. env., ★1 jeté env., 2 m. env., 1 jeté env., 3 m. env., 1 jeté env.,
2 m. env., 1 jeté env., 1 m. env. ; rep. à ★ jusqu'à la dernière m. : 1 m. env.

Rang 5 : 2 m. end., 1 jeté, 1 m. end., ★1 jeté, 1 surjet, 1 m. end., 1 surjet
double, 1 m. end., 2 m. ens. end., (1 jeté, 1 m. end.) 3 fois ; rep. à ★
jusqu'aux 12 dernières m. : 1 jeté, 1 surjet, 1 m. end., 1 surjet double,
1 m. end., 2 m. ens. end., 1 jeté, 1 m. end., 1 jeté, 2 m. end.

Rang 6 : à l'envers.

Rang 7 : 5 m. end., ★1 jeté, 5 m. ens., 1 jeté, 7 m. end. ; rep. à ★ jusqu'aux
10 dernières m. : 1 jeté, 5 m. ens., 1 jeté, 5 m. end.

Rangs 8 à 10 : à l'endroit.

Bordure d'éventails

Cette bordure est travaillée verticalement sur 14 m.

Note : le nombre de m. varie à certains rangs. Tous les jetés sont
à l'endroit.

Rang 1 (envers) : 2 m. end., 1 jeté, 2 m. ens. end., 5 m. end., 1 jeté, 2 m.
ens. end., 1 jeté, 3 m. end. Vous obtenez 15 m.

Rang 2 et tous les rangs pairs : 1 m. end.,1 jeté, 2 m. ens. end., le reste
du rang à l'endroit.

Rang 3 : 2 m. end., 1 jeté, 2 m. ens. end., 4 m. end., ★1 jeté, 2 m. ens. end.★
2 fois, 1 jeté, 3 m. end. Vous obtenez 16 m.

Rang 5 : 2 m. end., 1 jeté, 2 m. ens. end., 3 m. end., ★ 1 jeté, 2 m. ens. end.★
3 fois, 1 jeté, 3 m. end. Vous obtenez 17 m.

Rang 7 : 2 m. end., 1 jeté, 2 m. ens. end., 2 m. end., ★1 jeté, 2 m. ens. end.★
4 fois, 1 jeté, 3 m. end. Vous obtenez 18 m.

Rang 9 : 2 m. end., 1 jeté, 2 m. ens. end., 1 m. end. ★1 jeté, 2 m. ens. end.★
5 fois, 1 jeté, 3 m. end. Vous obtenez 19 m.

Rang 11 : 2 m. end., 1 jeté, 2 m. ens. end., 1 m. end., 2 m. ens. end.,
★1 jeté, 2 m. ens. end.★ 5 fois, 2 m. end. Vous obtenez 18 m.

Rang 13 : 2 m. end., 1 jeté, 2 m. ens. end., 2 m. end., 2 m. ens. end.,
★1 jeté, 2 m. ens. end.★ 4 fois, 2 m. end. Vous obtenez 17 m.

Rang 15 : 2 m. end., 1 jeté, 2 m. ens. end., 3 m. end., 2 m. ens. end.,
★1 jeté, 2 m. ens. end.★ 3 fois, 2 m. end. Vous obtenez 16 m.

Rang 17 : 2 m. end., 1 jeté, 2 m. ens. end., 4 m. end., 2 m. ens. end.,
★1 jeté, 2 m. ens. end.★ 2 fois, 2 m. end. Vous obtenez 15 m.

Rang 19 : 2 m. end., 1 jeté, 2 m. ens. end., 5 m. end., 2 m. ens. end.,
1 jeté, 2 m. ens. end., 2 m. end. Vous obtenez 14 m.

Rang 20 : 1 m. end., 1 jeté, 2 m. ens. end., le reste du rang à l'endroit.

Rep. ces 20 rangs.

Jours en diagonale avec bordure découpée

Cette bordure est travaillée verticalement sur 8 m.

Note : le nombre de m. varie à certains rangs. Tous les jetés et les surjets
sont à l'endroit.

1er rang de base (endroit) : 6 m. end., 1 m. end. dans le devant et le dos
de la m. suiv., 1 m. glissée env. Vous obtenez 9 m.

2e rang de base : 1 m. torse end., 2 m. end., 1 jeté, 1 surjet, 1 m. end.,
1 surjet, 1 m. glissée env. Vous obtenez 9 m.

Rang 1 : 1 m. torse end., 7 m. end., 1 m. end. dans le devant et le dos
de la dernière m., tournez et montez 2 m. Vous obtenez 12 m.

Rang 2 : 1 m. end., 1 m. end. dans le devant et le dos de la m. suiv.,
2 m. end., ★1 jeté, 1 surjet, 1 m. end.★ 2 fois, 1 jeté, 1 m. end., 1 m. glissée
env. Vous obtenez 14 m.

Rang 3 : 1 m. torse end., 11 m. end., 1 m. end. dans le devant et le dos
de la m. suiv., 1 m. glissée env. Vous obtenez 15 m.

Rang 4 : 1 m. torse end., 1 m. end. dans le devant et le dos de la m. suiv.,
2 m. end., ★1 jeté, 1 surjet, 1 m. end.★ 3 fois, 1 m. end., 1 m. glissée env.
Vous obtenez 16 m.

Rang 5 : 1 m. torse end., 13 m. end., 2 m. ens. end. Vous obtenez 15 m.

Rang 6 : 1 m. glissée env.,1 m. end., rabattre la m. glissée sur la m. end.,
1 surjet end., 4 m. end., ★1 jeté, 1 surjet, 1 m. end.★ 2 fois, 1 m. glissée env.
Vous obtenez 13 m.

Rang 7 : 1 m. torse end., 10 m. end., 2 m. ens. end. Vous obtenez 12 m.

Rang 8 : rabattez 3 m., 2 m. end., 1 jeté, 1 surjet, 1 m. end., 1 jeté, 1 surjet,
1 m. glissée env. Vous obtenez 9 m.

Rep. ces 8 rangs.

CHAPITRE HUIT

L'atelier de création

Vous êtes maintenant prête pour concevoir vos propres modèles. Les ateliers qui précèdent vous ont initiée aux techniques nécessaires à la confection d'un tricot, et vous en savez suffisamment sur les fils et les divers points, la mise en forme d'un vêtement, le travail de la couleur. Il vous reste à acquérir de la confiance en vous et à réviser quelques notions d'arithmétique (mais les calculatrices sont là pour vous épauler).

Cet atelier va vous permettre d'exprimer pleinement votre créativité sans la contrainte d'un modèle dessiné par quelqu'un qui n'a pas exactement les mêmes goûts que vous. Préférez-vous les ouvrages multipoints ? les ouvrages multicolores ? ou bien une combinaison des deux ? Comme moi, vous développerez peut-être vos idées au stade des ébauches et des croquis.

Quoi qu'il en soit, si l'étape de la création est toujours gratifiante, des difficultés peuvent survenir lorsque les aiguilles ne parviennent pas à traduire parfaitement vos idées. L'essentiel est d'être patiente, car il faut parfois tricoter cinq ou six échantillons avant de trouver le bon.

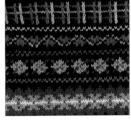

Dans cet atelier, vous apprendrez à confectionner un modèle basique de pull d'enfant. Vous pourrez ensuite vous lancer dans des formes et des styles plus ambitieux.

La conception de modèles

Concevoir et réaliser ses propres modèles de tricot est pour beaucoup un aboutissement extrêmement gratifiant. Dans cet atelier, j'aimerais vous montrer comment exploiter les techniques apprises auparavant, comme base de création pour dessiner son propre modèle.

Au début

Commencez par tricoter des échantillons avec différents fils, points et coloris, puis posez-vous quelques questions qui vous permettront de mener à bien la confection de votre modèle.

Choix d'un style

À mon avis, le mieux est de commencer par un pull tout simple, avec épaules tombantes de préférence et aussi peu de mise en forme que celui que j'ai dessiné sur cette page. Cela vous permettra de vous concentrer sur le tricot et sur son style sans avoir à faire de savants calculs et sans vous soucier des effets que les augmentations et les diminutions auront sur la répétition du motif.

Choix du fil

Adaptez votre modèle au fil que vous souhaitez utiliser et inversement : un point texturé ressortira médiocrement avec du mohair, de la chenille ou du fil duveteux, et un modèle réussi avec du coton peut se révéler décevant avec de la laine. De même, certains fils-rubans tombent ou deviennent lâches lorsqu'ils sont utilisés pour des vêtements longs comme une tunique, tandis que d'autres fils ne conviennent vraiment qu'aux bordures et bords décoratifs.

Si vous utilisez un fil assez gros ou un point donnant un tricot plutôt serré, les dimensions de votre vêtement doivent être généreuses, surtout au niveau des emmanchures, pour donner de l'aisance. Rappelez-vous que les points compliqués et les torsades des pulls irlandais sont destinés à rendre le vêtement le plus étanche possible. Mais si vous les utilisez pour un pull près du corps, vous risquez d'obtenir un tricot épais et inconfortable.

Modèles pour enfants

Si vous souhaitez créer un modèle pour enfant, évitez les fils rêches susceptibles d'irriter la peau, notamment si le col est montant.

En général, les bébés détestent qu'on leur enfile des vêtements par la tête. De plus, il peut être très difficile de les habiller si l'encolure est un peu étroite, surtout s'il s'agit d'un tout-petit qui ne sait pas encore s'asseoir. Pour éviter ces désagréments, les pulls pour bébés doivent toujours avoir soit une encolure large avec boutonnage sur une ou deux épaules, soit une confortable encolure bateau.

Si vous tricotez pour un enfant un peu plus grand, essayez de l'impliquer dans la conception de son vêtement, de le faire participer à votre projet (c'est une bonne façon de le lui faire apprécier). Bien trop souvent l'enfant est le dernier à être consulté lorsqu'on tricote pour lui.

Le modèle et les détails

Pour réussir la conception d'un vêtement, il est essentiel de veiller à l'harmonie générale du style.
Voici les critères dont il vous faut tenir compte quand vous créez un tricot.

Création avec un patron

Bien sûr, il est plus simple de créer un modèle à réaliser au point de jersey. Si vous voulez tricoter un motif répété, qu'il soit multipoints ou multicolore, vous devrez adapter le motif aux proportions, ce qui peut rendre le vêtement plus large ou plus étroit que vous ne l'aviez prévu initialement.

Il est important de considérer le vêtement comme un tout. Demandez-vous toujours si la profondeur d'une encolure décompose le motif. Si vous tricotez des bandes de jacquard, mieux vaut commencer l'encolure entre deux bandes pour que le motif en couleur ne soit pas déformé par la bande d'encolure qui sera ajoutée ensuite. Optez si nécessaire pour des épaules tombantes, si une manche montée risque de couper le motif. L'art de créer des modèles est aussi parfois l'art du compromis.

Modèle avec motifs

Quand je crée un modèle comportant des motifs isolés, je commence par dessiner la zone à tricoter sur du papier millimétré en y portant le nombre de mailles et de rangs ainsi que l'espace pour l'encolure. Ensuite, je dessine les motifs et je les découpe pour les disposer sur le graphique du vêtement. Je les déplace jusqu'à ce que je trouve une distribution satisfaisante : l'espace entre les motifs est-il bien réparti ? La vision d'ensemble est-elle équilibrée et esthétique ?

Modèle de style irlandais

Quand je travaille sur un vêtement de style irlandais avec différents panneaux de motifs, je tricote les panneaux séparément puis je les déplace jusqu'à ce que je trouve l'ordre qui me plaît. Je peux changer une torsade de 4 mailles en une torsade de 6 mailles si je pense que cette dernière ressortira davantage. J'essaie de trouver des torsades ayant des points communs, le point de riz ou le point mousse, par exemple, qui peuvent également être utilisés comme lisières.

Conception des bords

Les bords et bordures sont d'après moi tout aussi importants que le corps du vêtement. Vous ne mettriez pas un joli tableau dans un vilain cadre... Bien entendu, de simples bords en côtes conviennent toujours, mais on peut faire mieux. Intégrez par exemple de fines torsades et des mouches aux côtes d'un pull irlandais ; sur un jacquard, au lieu de tricoter les bords avec la couleur principale, réalisez une petite bande ou un bord de couleur contrastante. Il existe aussi une multitude de bordures à adapter (voir la famille des détails décoratifs, pp. 136-139).

Mise au point

N'ayez pas peur de faire des erreurs quand vous commencez à dessiner. Il y a très peu d'impératifs techniques, et l'essentiel est que vous ressentiez de la satisfaction à créer quelque chose qui vous soit personnel.

La conception d'un pull simple

Cette description des différents stades de la conception d'un pull constitue une bonne base pour créer un modèle. Tricoté au point jersey, ce pull a des épaules tombantes et une encolure ronde.

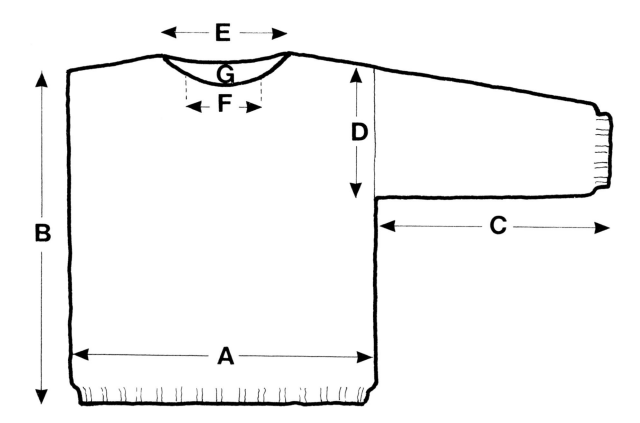

Quand on veut calculer un patron, la meilleure méthode est encore de prendre les mesures d'un vêtement dont les proportions conviennent. Toutefois, à titre d'exercice, j'ai calculé les proportions de celui-ci en partant d'une formule simple qui vous aidera à composer votre premier patron (voir aussi p. 146).
Dessinez le schéma d'un pull à encolure ronde avec les mensurations légendées de la façon suivante :

A = largeur du dos et du devant ;
B = hauteur jusqu'à l'épaule ;
C = longueur de la manche ;
D = emmanchure ;
E = largeur de l'encolure du dos ;
F = largeur de l'encolure du devant ;
G = profondeur de l'encolure.

Tricotez un échantillon avec le fil de votre choix et les aiguilles appropriées. Comptez le nombre de mailles et de rangs nécessaire pour obtenir 10 x 10 cm. Calculez ensuite le nombre de mailles et de rangs nécessaire pour obtenir 1 x 1 cm.

Dos

Multipliez le nombre de mailles par la largeur du dos en cm (A) pour obtenir le nombre de mailles à monter. Pour l'exemple qui suit, j'ai utilisé du coton à tricoter Rowan, qui donne l'échantillon suivant : 10 x 10 cm = 20 mailles sur 28 rangs, soit 1 x 1 cm = 2 mailles sur 2,8 rangs. Pour avoir une largeur de dos de 38 cm, il faut donc monter 76 mailles (38 x 2), plus 2 mailles lisière pour les coutures du pull.

Ces mailles lisière pour les coutures sont importantes, car avec une grosse laine, les mailles passant dans la couture peuvent influer sur la largeur totale du pull.

On emploie habituellement des côtes 1-1 pour les bords. On les tricote le plus souvent avec des aiguilles de deux numéros plus fines que celles utilisées pour le corps du vêtement. On soustrait la hauteur des côtes de la hauteur totale et on multiplie le chiffre obtenu par celui du nombre de rangs nécessaire pour tricoter 1 cm ; on obtient alors le nombre total de rangs à tricoter au-dessus des côtes.

Le nombre de mailles pour chaque épaule est calculé en soustrayant du nombre total le nombre de mailles de l'encolure du dos et en divisant ce chiffre par 2.

Devant

Le devant est tricoté en suivant les indications données pour le dos jusqu'à une hauteur de 6 cm inférieure à celle du dos. Comme on tricote d'abord un côté de l'encolure, il faut soustraire la moitié des mailles de l'encolure du devant (F) de la moitié des mailles du devant pour obtenir le nombre de mailles nécessaire au premier côté de l'encolure. En soustrayant de ce chiffre le nombre de mailles pour l'épaule, on obtient le nombre de diminutions nécessaire pour former l'encolure.

Multipliez la profondeur de l'encolure (G) par le nombre de rangs trouvé avec l'échantillon pour obtenir le nombre de rangs à tricoter. Calculez la fréquence des diminutions. Pour une encolure ronde, comme celle de notre modèle, il faut faire quelques rangs tout droit en haut de chaque côté de l'encolure. Divisez donc le nombre de rangs par le nombre de diminutions, en tenant compte des quelques rangs tout droit en haut de l'encolure, puis, en fonction du nombre de rangs, faites une diminution à chaque rang ou tous les 2 rangs.

Si vous avez par exemple 20 rangs et 7 diminutions à faire, divisez 14 (20 rangs moins 6 rangs tout droit) par 7. Vous ferez donc 1 diminution tous les 2 rangs.

Manches

Un pull à épaules tombantes n'a pas d'emmanchures et ses manches sont plus courtes que celles d'un pull avec manches montées ; en effet les épaules tombantes sont plus larges, et, en tombant des épaules, cette largeur supplémentaire s'ajoute à la longueur des manches.

Délimitez la largeur des manches à leur bord inférieur et calculez le nombre de mailles nécessaire. Les poignets en côtes sont généralement suffisamment étroits pour être bien ajustés. C'est la raison pour laquelle on monte moins de mailles, mais, au dernier rang de côtes, on fait des augmentations pour obtenir le nombre de mailles nécessaire à la partie inférieure de la manche. La manche est plus large en haut qu'en bas (la moitié du haut de la manche donne la hauteur de l'emmanchure D). En soustrayant le nombre de mailles du bas de la manche du nombre de mailles du haut, vous saurez combien d'augmentations faire sur toute la longueur de la manche, poignet exclu.

Bande d'encolure

Le nombre de mailles de la bande d'encolure est calculé en considérant qu'1 maille est relevée à chaque rang sur les côtés de l'encolure et que l'on ajoute ces mailles à celles du dos et du devant de l'encolure.

Mise en route

Lisez attentivement la page 146 pour être sûre de bien tout comprendre. Même si ces formules peuvent sembler arides de prime abord, il ne s'agit en réalité que de simples calculs arithmétiques. Une fois que vous maîtriserez ces règles de base, vous pourrez vous lancer dans des styles et des formes de vêtements plus hardis et sophistiqués.

Calculs pour un pull

Voici les calculs à faire pour établir le patron d'un pull simple à épaules tombantes.

Tailles

2 à 3 ans

Tour de poitrine (enfant)	51-56	cm
Tour de poitrine (pull)	76	cm
Longueur	38	cm
Longueur des manches	23	cm

Échantillon

10 x 10 cm = 20 m. et 28 rangs de jersey, aiguilles n°4.

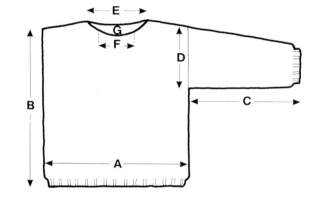

Abréviations

Voir page 158.

Largeur du dos (A) : 38 cm.
Nombre de mailles à monter : 38 x 2 = 76 + 2 m. de lisière = 78 m.

Longueur du pull (B) moins 5 cm de côtes : 38 - 5 cm = 33 cm.
Nombre de rangs après les côtes : 33 x 2,8 = 92,4 (arrondir à 92 rangs).

Largeur de l'encolure du dos (E) : 15 cm.
Nombre de mailles : 15 x 2 = 30 m.

Épaules : 78 - 30 (largeur de l'encolure du dos) = 48 m.
Nombre de mailles pour chaque épaule : 48 divisé par 2 = 24 m.
Largeur de l'encolure du devant (F) : 8 cm.
Nombre de mailles : 8 x 2 = 16 m.

Encolure : 39 (moitié du total des mailles du devant) - 8 (moitié des mailles du devant de l'encolure) = 31 m.
Nombre de diminutions pour l'encolure : 31 - 24 (mailles des épaules) = 7 m.

Profondeur de l'encolure (G) : 7cm.
Nombre de rangs : 7 x 2,8 = 19,6 (arrondir à 20 rangs).

Rangs avec diminution au bord de l'encolure : divisez le nombre de rangs (20) par le nombre de diminutions à faire (7), en tenant compte des quelques rangs tout droit après les diminutions (13 ou 6). Vous pouvez faire une diminution sur le bord de l'encolure aux 7 premiers rangs et travailler tout droit ensuite, ou bien faire une diminution tous les 2 rangs et continuer tout droit.

Largeur de manche au-dessus des côtes : 23 cm.
Nombre de mailles au-dessus des côtes : 23 x 2 = 46 m.
Montez 38 mailles pour le poignet et faites 8 augmentations régulièrement réparties sur le dernier rang de côtes.

Largeur du haut de la manche : 36 cm.
Nombre de mailles : 36 x 2 = 72 m.
Nombre d'augmentations : 72 - 46 = 26 m.
Nombre de paires d'augmentations : 13.

Longueur des manches (C) après 5 cm de côtes : 23 - 5 = 18 cm.

Nombre de rangs : 18 x 2,8 = 50,4 (arrondir à 50 rangs).

Fréquence des augmentations : 50 divisé par 13 = 3,8.

Faites une augmentation tous les 3 rangs.

Nombre de rangs tricotés tout droit en haut des manches : 13 x 3 = 39 rangs pour la mise en forme.

50 - 39 = 11 rangs tricotés tout droit.

Quelques conseils

Ces recommandations concernent aussi bien les tricoteuses chevronnées que les débutantes.

Pour éviter que la pelote danse en se déroulant, tandis que vous tricotez, commencez-la toujours par l'intérieur : enfoncez 2 doigts à une extrémité et tirez la petite pelote intérieure.

Pour mettre un écheveau en pelote, commencez à dérouler le fil par l'extérieur, enroulez-le lâchement autour de 3 doigts en laissant 30 cm de fil libre. Enroulez le reste en pelote, sans serrer. Vous pourrez ainsi commencer la pelote par l'intérieur.

Pour détricoter la laine, coupez et tirez les fils des coutures, détricotez les mailles de finition en les soulevant avec une aiguille à tricoter. Enroulez le fil en écheveaux, attachez ceux-ci en 2 endroits avec un fil de couleur différente, trempez-les dans de l'eau et suspendez-les pour les faire sécher. Enroulez la laine sèche en pelotes.

Lorsque vous vous interrompez, finissez toujours le rang commencé sinon le tricot s'étirera à l'endroit où vous vous arrêtez.

Rangez toujours vos aiguilles après usage car elles sont pointues et donc dangereuses. Si vous n'avez pas d'étui rigide, enfoncez chaque pointe dans un demi-bouchon ; faites de même lorsque vous vous déplacez avec votre ouvrage.

Achetez une jauge à aiguilles : elle sert à mesurer leur diamètre et vous sera souvent utile.

Les tricoteuses gauchères doivent inverser les croquis, soit en les regardant dans un miroir, soit en les photocopiant sur du papier calque.

Apprenez à tricoter sans regarder votre ouvrage, vous pourrez lire ou regarder la télévision tout en travaillant. Vous pourrez de cette manière tricoter le point mousse, le jersey, les côtes ou le point de riz.

Pour laver un très grand tricot, trop grand pour être lavé à la main et dont la laine ne supporterait pas un passage en machine, préparez le bain de lavage dans la baignoire et foulez le tricot avec les pieds puis rincez-le et essorez-le de même. Disposez-le ensuite par terre entre des draps de bain en plaçant des couches de papier journal au-dessus et au-dessous, piétinez le tout et changez le papier journal dès qu'il est humide. Voir aussi page 157 sur l'entretien des tricots.

Les enfants manquent de patience lorsqu'ils commencent à maîtriser le tricot. Choisissez-leur un modèle avec des rayures de diverses couleurs répétées régulièrement. Parvenir à une nouvelle couleur les stimulera. Vous pouvez leur apprendre à tricoter une écharpe pour poupée ou ours en peluche, un gant de toilette ou un coussin pour le chien ou le chat.

CHAPITRE NEUF

L'atelier des finitions

CET ATELIER est l'un des plus importants pour moi, parce que la manière d'assembler et de rectifier des erreurs avant de terminer un modèle fait toute la différence entre un tricot fait main ordinaire et un tricot professionnel.

Dans mon entourage, plusieurs tricoteuses m'ont avoué qu'elles avaient des sacs entiers de pièces de tricot attendant d'être montées : elles ne sont pas les seules à considérer que cette étape du tricot est la plus ingrate et à mettre de côté un ouvrage non terminé pour passer à autre chose.

Pourtant, il me semble que les finitions peuvent devenir la partie la plus gratifiante du projet, non seulement parce qu'on ne pourra porter le modèle qu'après cette étape, mais aussi parce que le fait de terminer soigneusement un vêtement procure une vraie satisfaction.

Pour moi, l'art du tricot, c'est aussi savoir réaliser de jolies finitions, y compris sur l'envers. Le choix des boutons n'est pas non plus un détail à négliger : des boutons bon marché en plastique peuvent donner un aspect médiocre à un vêtement par ailleurs très travaillé.

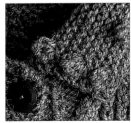

Le montage

Le montage est l'assemblage des différentes parties du vêtement. Il est important de savoir faire
des coutures quasiment invisibles pour ne pas gâcher un vêtement joliment tricoté.
Avant de commencer à monter, lisez les conseils de repassage donnés sur la bande de la pelote.

Assemblage bord à bord sur jersey endroit

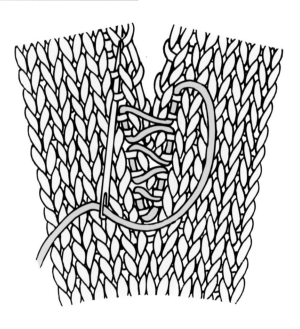

Assemblage des côtes 1-1

Pour assembler 2 parties tricotées en côtes, la meilleure méthode est de ne prendre qu'une demi-maille de chaque côté afin de rétablir un point complet sur la couture finie. Faites la couture de la même façon que pour le jersey, mais passez l'aiguille sous la boucle d'1 rang à la fois au lieu de 2.

Pour coudre des côtes 2-2, utilisez la même technique, mais afin de rendre la couture aussi peu visible que possible, prenez une maille entière comme pour la couture bord à bord.

L'endroit étant dessus, posez les pièces à assembler à plat et bord à bord. Enfilez une aiguille à pointe arrondie et attachez le fil sur l'envers d'un des côtés. Piquez l'aiguille en avant entre la maille lisière et la 2e maille du 1er rang. Faites de même sur le côté opposé. Passez-la sous les boucles d'1 ou de 2 rangs, puis ramenez-la sur le devant. Piquez-la dans le trou d'où est sorti le dernier point sur le 1er côté, passez-la sous les boucles et faites-la sortir au même niveau que sur le côté opposé.

Continuez ce mouvement de zigzag, piquez toujours l'aiguille sous les brins correspondant exactement à ceux de l'autre côté et faites attention à ne pas manquer un rang. Après quelques points, tirez sur le fil pour fermer la couture. Assurez-vous que celle-ci a la même élasticité que le reste du tricot.

Assemblage de 2 bords aux mailles rabattues

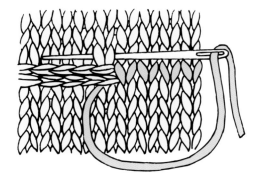

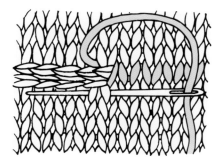

On peut assembler 2 bords aux mailles rabattues selon la technique du bord à bord du jersey endroit. D'un côté, sortez l'aiguille au milieu de la 1re maille sous la maille rabattue. Piquez l'aiguille au milieu de

la 1re maille du côté opposé et faites-la sortir au milieu de la maille suivante. Retournez à la 1re maille et piquez l'aiguille au milieu, faites-la ressortir au milieu de la maille suivante.

Assemblage bord à bord sur jersey envers

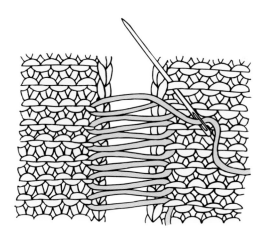

Le côté tricoté à l'envers étant pris comme endroit, faites la couture de la même manière que pour le jersey endroit, mais pour obtenir plus de netteté, passez l'aiguille sous la boucle d'1 seul rang et non pas de 2 comme indiqué pour le jersey endroit.

CONSEIL : LES COUTURES

Trop souvent, un vêtement tricoté avec soin s'avère décevant une fois fini car, dans la hâte de monter le modèle, on néglige les dernières étapes. Ainsi, avant de commencer à coudre, il est parfois nécessaire d'épingler et de repasser toutes les pièces (voir p. 156). Les coutures montrées sur ces pages et sur la page 152 conviennent aux diverses pièces de la plupart des vêtements, mais la couture bord à bord est la plus universelle car, lorsqu'elle est réalisée soigneusement, elle donne une finition presque invisible. Dans la mesure du possible, cousez avec le même fil que celui du tricot. Toutefois, si vous avez utilisé un fil épais ou qui se rompt facilement, prenez un fil lisse de même couleur pour les coutures.
Même si vous pratiquez habituellement le point arrière ou le point de surjet pour les coutures, essayez cette méthode car vous serez surprise par sa facilité et sa netteté. Comme la couture bord à bord s'effectue sur l'endroit, elle permet d'assembler avec précision les rayures et les bandes de jacquard.

Couture au point arrière

Cette couture ne convient qu'aux fils très fins (2 brins maximum). Elle est plus épaisse et moins élastique que la couture bord à bord et se voit davantage sur l'endroit. Elle est aussi plus difficile à découdre, chaque point devant être défait. Faites la couture aussi fine que possible, une maille au maximum et en ne prenant qu'une demi-maille pour réduire l'épaisseur.

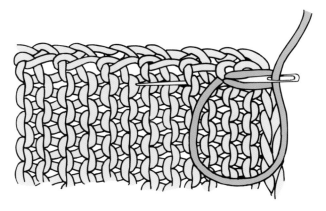

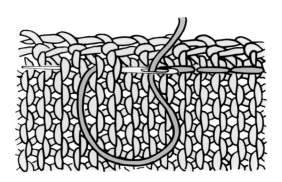

1 Épinglez les pièces, endroit sur endroit, de manière que les rangs se correspondent. Enfilez une aiguille à pointe arrondie. Passez-la autour des 2 bords, en les enfermant dans un point serré se terminant par le fil devant. Piquez l'aiguille dans l'ouvrage juste derrière le dernier point et faites un autre petit point. Repiquez l'aiguille à la fin du point précédent et faites un point 2 fois plus long.

2 Repiquez l'aiguille à la fin du point précédent et faites un autre point de la même longueur que celui d'avant. Répétez ces points pour produire une ligne continue de points réguliers sur le côté de l'ouvrage tourné vers vous.

Coudre les bandes verticales des devants

On peut tricoter ces bandes à part et les coudre ensuite. Toutefois, si le bord est également en côtes, on peut monter les mailles de la bande et tricoter la bande avec le bord. Lorsque le bord est fini, glissez les mailles de la bande sur une épingle de nourrice, pendant que vous tricotez le reste du devant. Lorsque vous reprenez la bande, montez 1 maille supplémentaire sur le côté intérieur qui sera pris dans la couture.

Tricotez d'abord le côté prévu pour les boutons, étirez légèrement la bande pour que le devant épouse l'encolure ronde ou aille jusqu'au centre du dos dans le cas d'une encolure en V. Comptez le nombre de rangs tricotés. Épinglez la bande et cousez-la. Tricotez l'autre côté pour qu'il corresponde au premier, en calculant l'emplacement des boutonnières.

Rattraper des mailles perdues

Une maille perdue ou mal faite est une erreur courante. En fonction du type de maille
et de l'endroit de l'erreur, vous devrez relever la maille, détricoter des mailles
ou défaire des rangs selon les méthodes présentées ici.

Rattraper une maille endroit au rang du dessous

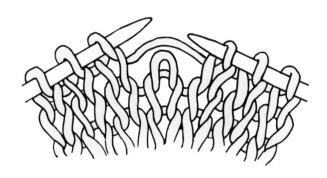

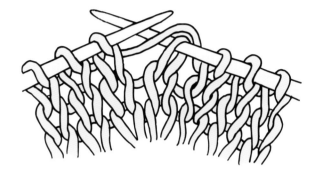

1 Dès que possible, essayez de rattraper la maille tombée, sinon elle continuera à se défaire à travers l'ouvrage.

2 En travaillant de l'avant vers l'arrière, relevez la maille et le brin horizontal situé au-dessus avec l'aiguille droite (le brin devant rester derrière la maille).

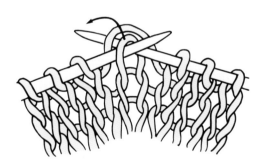

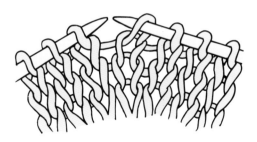

3 Piquez l'aiguille gauche à travers le dos de la maille et relevez-la sur le brin en l'enlevant de l'aiguille comme pour la rabattre.

4 La maille est en mauvaise position. Piquez l'aiguille gauche dans le devant de la maille et glissez-la sur l'aiguille, elle sera alors bien orientée.

Rattraper une maille envers au rang du dessous

1 Dès que possible, essayez de rattraper la maille tombée, sinon elle continuera à se défaire.

2 En travaillant de l'arrière vers l'avant, relevez la maille et le brin horizontal au-dessus avec l'aiguille droite (le brin devant être devant la maille).

3 Piquez l'aiguille gauche derrière le brin et à travers la maille. Relevez la maille.

4 Avec l'aiguille droite, tirez le brin à travers la maille levée en formant ainsi une maille sur l'aiguille droite.

CONSEIL : CORRIGER LES ERREURS

Même les tricoteuses les plus expérimentées font de temps en temps des erreurs. Ne paniquez pas si cela vous arrive car il y a très peu d'erreurs irréparables.

Souvent, vous ne vous apercevrez pas que vous avez perdu une maille jusqu'à ce qu'arrive le moment de les compter. Tant que l'ouvrage n'est pas trop avancé, une maille tombée quelques rangs plus bas peut être rattrapée
en la remontant rang par rang (voir p. 155). En revanche, si l'ouvrage est avancé, les rangs situés au-dessus de la maille tombée seront trop serrés et il n'y aura pas suffisamment de fil libre pour refaire la maille perdue. Dans ce cas, mieux vaut défaire l'ouvrage (voir p. 155) jusqu'à la maille perdue, puis, sans perdre patience, retricoter les rangs défaits.

Rattraper une maille plusieurs rangs plus bas

La maille tombée, formant une échelle sur quelques rangs, peut être rattrapée avec un crochet. Travaillez toujours en tournant l'endroit de l'ouvrage vers vous. De devant, piquez le crochet dans la maille tombée. Le crochet étant dirigé vers le haut, attrapez le 1er brin de l'échelle par en dessous et tirez-le à travers la maille.

   Continuez ainsi jusqu'à ce que tous les brins horizontaux aient été intégrés, puis remettez la maille sur l'aiguille gauche en veillant à ne pas la tordre. Si plusieurs mailles sont tombées, mettez les autres en attente sur une épingle de nourrice.

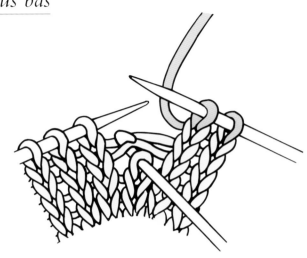

Défaire un tricot

Détricoter un tricot maille par maille quand une erreur se situe à un rang assez éloigné est fastidieux et inutile. Il est bien plus rapide de retirer l'aiguille et de défaire le tricot jusqu'au rang situé en-dessous de celui de l'erreur. Remettez les mailles sur l'aiguille, sans les tordre, et continuez à tricoter. Avec certains fils, il est difficile de remettre les mailles bien en place. Dans ce cas, défaites le tricot jusqu'au rang au-dessus de celui de l'erreur, remettez les mailles sur l'aiguille et détricotez le rang maille par maille.

Défaire un rang endroit

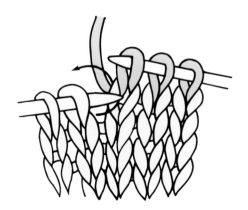

Le fil étant derrière et les mailles sur l'aiguille droite, piquez l'aiguille gauche, de l'avant vers l'arrière, à travers le centre de la 1re maille située sous celle de l'aiguille droite, puis retirez l'aiguille droite de la maille et libérez le fil.

Défaire un rang envers

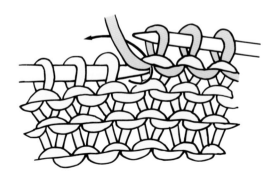

Procédez comme indiqué pour un rang endroit, mais gardez le fil devant l'ouvrage.

155

Le repassage des tricots

Tous les tricots ne doivent pas être repassés (notamment les fils fantaisie ou synthétiques), mais la plupart seront plus beaux après avoir été épinglés et repassés ou humectés.

La plupart des fils à forte proportion de fibres naturelles peuvent être repassés sans problème alors qu'il est généralement déconseillé de repasser des tricots en acrylique ou en mohair sous peine de les abîmer.

Lisez toujours les indications portées sur la bande qui entoure la pelote pour savoir s'il faut ou non repasser l'ouvrage, à quelle température, et s'il faut le faire à sec ou avec une pattemouille. Si le fabricant déconseille le repassage, suivez ses instructions, car un fer chaud peut irrémédiablement endommager un tricot. Dans ce cas, utilisez la méthode de la serviette humide, expliquée page 157. Si les explications d'un modèle conseillent le repassage, mais que vous avez utilisé un fil différent, pour lequel le repassage n'est pas souhaitable, tenez compte de cette dernière consigne.

En outre, mieux vaut ne pas repasser certains types de tricots ou certaines parties de vêtements, même si le fil le supporte. C'est le cas en particulier des côtes et des motifs à torsades ou en relief. Le repassage risque en effet d'aplatir la texture, d'en estomper le relief et de diminuer l'élasticité des côtes. La méthode de la serviette humide convient mieux dans ces cas-là.

En cas de doute, repassez d'abord l'échantillon pour éviter d'abîmer tout le vêtement.

Épingler

Avant le repassage, toutes les pièces doivent être soigneusement épinglées pour que leur forme et leurs mesures restent correctes. Cette étape préliminaire doit se faire avant celle de l'assemblage. Elle permet d'unifier l'aspect des jacquards et des motifs de couleur, souvent un peu irréguliers, et d'ajuster légèrement la taille ou la forme d'un vêtement.

Pour épingler et repasser, installez votre ouvrage sur une surface plane et rembourrée, couverte d'un linge propre, et munissez-vous de longues épingles à tête de couleur, d'un fer et d'une pattemouille.

1 Placez les pièces de tricot sur la surface rembourrée, l'envers étant vers vous. Piquez les épingles à 2 cm d'intervalle à travers les bords du tricot (excepté les côtes) et dans le rembourrage.

2 Vérifiez les mesures et l'orientation horizontale et verticale des mailles. Si nécessaire, déplacez les épingles pour obtenir les bonnes dimensions et la forme voulue, en étirant ou en rentrant légèrement le tricot pour que le contour soit net entre les épingles.

Repasser

Chaque pièce épinglée est repassée pour la lisser et lui donner une forme correcte. Si la bande de la pelote ne donne pas d'instructions précises, tenez-vous en aux généralités suivantes.

Pour la laine, le coton, le lin et les autres fibres naturelles : utilisez une pattemouille et repassez sans laisser le fer sur l'ouvrage. Ne repassez pas les fils 100 % synthétiques. Pour les fils mélangés (petit pourcentage de fibres naturelles) : utilisez un fer tiède et un linge sec.

1 En fonction du type de fil, placez un linge humide ou sec sur les pièces épinglées, puis repassez avec un mouvement régulier et léger, en soulevant le fer pour éviter de tirer le tricot sous le linge. Ne repassez pas les bords à côtes.

2 Après le repassage, enlevez quelques épingles. Si le bord reste à plat, enlevez toutes les épingles et laissez le tricot sécher complètement sur la surface plane. Si, après avoir retiré quelques épingles, le bord s'enroule, remettez les épingles et laissez sécher ainsi.

3 Après avoir monté toutes les pièces (voir pp. 150-152), repassez légèrement les coutures sur l'envers selon la même méthode, mais sans épingles.

La serviette humide

Cette méthode convient aux fils duveteux et synthétiques ainsi qu'aux motifs en relief qui, tous, supportent mal le repassage.

1 Posez les pièces sur une serviette grand teint humide, enroulez le tout et laissez ainsi durant une heure afin que le tricot absorbe l'humidité de la serviette. Déroulez et posez la serviette sur une surface plane, placez les pièces de tricot dessus.

2 Mettez les pièces en forme comme expliqué aux paragraphes 1 et 2 de « Épingler ». Recouvrez d'une autre serviette humide, appuyez bien et laissez sécher.

L'entretien des tricots

Les conseils qui suivent vous aideront à conserver un aspect soigné à votre tricot aussi longtemps que possible. Sachez toutefois que la façon dont vous le portez peut aussi faire une différence : tirer sans cesse sur un pull et l'étirer peut déformer les bords.

Les tricots faits main sont parfois moins souples que les tricots de confection. Ils ont donc plus facilement tendance à se déformer ou à rétrécir si leur entretien n'est pas correct. Sur certains fils, la bande de la pelote spécifie s'ils sont lavables en machine et avec quel programme, voire s'ils peuvent être essorés. Si vous n'êtes pas sûre de vous, testez l'échantillon pour savoir si le fil rétrécit ou déteint.

Lavage à la main

Un des problèmes principaux du lavage de la laine ou des laines mélangées est le rétrécissement souvent accompagné d'un aspect rêche et mat. Traitez vos tricots avec douceur : lavez-les de préférence à l'eau tiède avec un savon doux et liquide.

Ne laissez jamais tremper un tricot. Pressez-le pour détacher la saleté et videz l'eau de la bassine. À ce stade, ne soulevez pas le vêtement, car le poids de l'eau risque de le déformer. Pressez-le pour en faire sortir le plus d'eau possible avant de le rincer 2 fois. Pressez-le à nouveau pour extraire l'eau du dernier rinçage, puis posez-le sur une serviette grand teint et enroulez-le sans serrer. Transportez-le ensuite sur une serviette sèche et remettez-le en forme. Certaines fibres supportent l'essorage réduit dans un programme délicat. Pour le coton, en revanche, l'essorage est conseillé car trop d'humidité peut le déformer. Laissez sécher à l'ombre, loin d'une source de chaleur.

Lavage en machine

Suivez les instructions de lavage indiquées sur la bande de la pelote ou utilisez la méthode qui vous semble appropriée. Vous pouvez mettre le vêtement dans une taie d'oreiller pour éviter qu'il ne soit étiré. Respectez la température indiquée : l'eau ne doit pas être plus chaude que ce qui vous est recommandé.

Lisez les symboles notés sur la bande et choisissez le programme en en tenant compte. À la fin du cycle, retirez le lainage de la machine le plus vite possible pour éviter les faux plis. Posez-le sur une serviette et laissez-le sécher à l'air.

En cas de doute, lavez à la main.

Nettoyage à sec

Pour certains fils, le nettoyage à sec est indiqué. Apportez la bande de la pelote à la teinturerie et veillez à ce que le vêtement ne soit ni repassé ni suspendu sur un cintre.

Rangement

Ne laissez jamais un vêtement tricoté sur un cintre. Souvent assez lourds, les tricots ont tendance à pendre et le cintre peut percer les épaules. Avant de ranger un lainage, lavez-le ou faites-le nettoyer à sec.

Notes

Abréviations courantes

Elles sont utilisées dans les explications, les pages techniques et les familles de points.

aig. = aiguille ; **aig. aux.** = aiguille auxiliaire ; **augm.** = augmentation, augmenter ; **cont.** = continuer ; **der.** = derrière ; **dev.** = devant ; **dim.** = diminution ; **end.** = endroit ; **env.** = envers ; **ens.** = ensemble ; **glis.** = glisser ; **lis.** = lisière ; **m.** = maille ; **rab.** = rabattre ; **rep.** = reprendre, répéter ; **suiv.** = suivant.

Abréviations pour la famille des points irlandais

2 m. crois. dev. = glissez la m. suivante sur l'aig. aux. placée devant, 1 m. end., puis tricotez à l'endroit la m. de l'aig. aux.

2 m. crois. der. = glissez la m. suiv. sur l'aig. aux. placée derrière, 1 m. end., puis tricotez à l'endroit la m. de l'aig. aux.

3 m. crois. dev. = glissez les 2 m. suiv. sur l'aig. aux. placée devant, 1 m. end., puis tricotez à l'endroit les 2 m. de l'aig. aux.

3 m. crois. der. = glissez la m. suiv. sur l'aig. aux. placée derrière, 2 m. end., puis tricotez à l'endroit la m. de l'aig. aux.

4 m. crois. dev. = glissez les 2 m. suiv. sur l'aig. aux. placée devant, 2 m. end., puis tricotez à l'endroit les 2 m. de l'aig. aux.

4 m. crois. der. = glissez les 2 m. suiv. sur l'aig. aux. placée derrière, 2 m. end., puis tricotez à l'endroit les 2 m. de l'aig. aux.

6 m. crois. dev. = glissez les 3 m. suiv. sur l'aig. aux. placée devant, 3 m. end., puis tricotez à l'endroit les 3 m. de l'aig. aux.

6 m. crois. der. = glissez les 3 m. suiv. sur l'aig. aux. placée derrière, 3 m. end., puis tricotez à l'endroit les 3 m. de l'aig. aux.

2 m. crois. droite = glissez la m. suiv. sur l'aig. aux. placée derrière, 1 m. end., puis tricotez à l'envers la m. de l'aig. aux.

2 m. crois. gauche = glissez la m. suiv. sur l'aig. aux. placée devant, 1 m. env., puis tricotez à l'endroit la m. de l'aig. aux.

3 m. crois. droite = glissez la m. suiv. sur l'aig. aux. placée derrière, 2 m. end., puis tricotez à l'envers la m. de l'aig. aux.

3 m. crois. gauche = glissez les 2 m. suiv. sur l'aig. aux. placée devant, 1 m. env., puis tricotez à l'endroit les 2 m. de l'aig. aux.

4 m. crois. droite = glissez les 2 m. suiv. sur l'aig. aux. placée derrière, 2 m. end., puis tricotez les m. de l'aig. aux. : 1 m end., 1 m env.

4 m. crois. gauche = glissez les 2 m. suiv. sur l'aig. aux. placée devant, 1 m. end., 1 m. env., puis tricotez à l'endroit les 2 m. de l'aig. aux.

Crois. 4 m. der. = glissez les 2 m. suiv. sur l'aig. aux. placée derrière, 2 m. end., puis tricotez à l'envers les 2 m. de l'aig. aux.

Crois. 4 m. dev. = glissez les 2 m. suiv. sur l'aig. aux. placée devant, 2 m. env., puis tricotez à l'endroit les 2 m. de l'aig. aux.

Crois. 5 m. droite = glissez les 2 m. suiv. sur l'aig. aux. placée derrière, 3 m. end., puis tricotez à l'envers les 2 m. de l'aig. aux.

Crois. 5 m. gauche = glissez les 3 m. suiv. sur l'aig. aux. placée devant, 2 m. env., puis tricotez à l'endroit les 3 m. de l'aig. aux.

Tordre 2 m. gauche = glissez la m. suiv. sur l'aig. aux. placée devant, 1 m. env., puis tricotez à l'endroit torse la m. de l'aig. aux.

Tordre 2 m. droite = glissez la m. suiv. sur l'aig. aux. placée derrière, 1 m. torse end., puis tricotez à l'envers la m. de l'aig. aux.

Grosseur des fils

Si vous voulez choisir une autre marque de fil, essayez d'en trouver un du même type et de la même grosseur que celui qui est conseillé. La quantité nécessaire dépend du métrage de fil sur la pelote plus que de son poids. Faites un échantillon d'essai avec le fil de remplacement pour savoir s'il convient.

Cette description des différents types de fils Rowan vous donnera des indications sur le type et le poids des fils.

Coton fin (4-ply Cotton) = 1 fil 100 % coton, léger, 170 m environ par 50 g.

Coton glacé (Cotton Glace) = 1 fil 100 % coton, léger, 112 m environ par 50 g.

Laine Designer (Designer DK Wool) = 100 % laine, double knitting, 115 m environ par 50 g.

Coton à tricoter (DK Handknit Cotton) = 1 fil 100 % coton, poids moyen, 85 m environ par 50 g.

Laine Tweed (DK Tweed) = 100 % laine, double knitting, 110 m environ par 50 g.

Laine de pays (Magpie) = 100 % laine, type laine de pays, 140 m environ par 100 g.

Laine de pays Aran et **Tweed (Magpie Aran** et **Magpie Tweed)** = 100 % laine, type laine de pays, 150 m environ par 100 g.

Où trouver votre laine ?

La boutique de Debbie Bliss se trouve à l'adresse suivante :

Debbie Bliss, 365 St John Street, Londres
EC1V 4LB Tél. : 0171 833 8255

Voici la liste des distributeurs des fils Rowan en Belgique, au Canada, en France et en Suisse. Vous pourrez vous y procurer les laines Rowan en direct ou par correspondance :

Belgique

Rowan at Lana, Anselmostraat 92, 2018 Anvers
Tél. : 03 238 70 17

Stikkestek, Walweinstraat 3, 8000 Bruges
Tél. : 050 34 03 45

Art et Fil, Rue du Bailli 25, 1050 Bruxelles
Tél. : 02 647 64 51

Rowan at Pavan, Kon. Astridlaan 78, 9000 Gand
Tél. : 09 221 85 94

Canada

À la Tricoteuse, 779 Rachel Est, Montréal, Québec, H2J 2H4
Tél. : 514 527 2451

Saute-Mouton, 20 Webster, St-Lambert, Québec, J4P 1W8
Tél. : 450 671 1155

Brickpoint Studios, 318 Victoria, Westmount,
Québec H3Z 2M8
Tél. : 514 489 0993

France

Od'a'Laine, 3, rue Joseph-Blanc, 74000 Annecy
Tél. : 04 50 51 38 46

La Pastourelle, 4, rue Victor-Delavelle, 25000 Besançon
Tél. : 03 81 80 96 51

Entrée des Fournisseurs, 8, rue des Francs-Bourgeois, 75003 Paris
Tél. : 01 48 87 58 98

Le Bon Marché, 24, rue de Sèvres, 75007 Paris
Tél. : 01 44 39 80 00

Colette Ceresa, 4, rue Sainte-Isaure, 75018 Paris
Tél. : 01 42 51 62 37

Le Sabot des Laines, 10, avenue d'Occitanie, 31520 Ramonville
Tél. : 05 61 73 14 38

Tricot Conseil, 11, rue d'Amérique, 88100 Saint-Dié
Tél. : 03 29 56 79 16

Elle Tricote, 4, rue de Pâques, 67000 Strasbourg
Tél. : 03 88 23 03 13

Au Vieux Rouet, 7, rue Ferdinand-Dubouloz, 74200 Thonon-les-Bains
Tél. : 04 50 71 07 33

D'un Fil à l'Autre, 53, rue Jean-Jaurès, 83000 Toulon
Tél. : 04 94 92 63 76

Suisse

Vilfil, Klosbachstrasse 10, Beim Kreuzplatz, 8032 Zurich
Tél. : 01 383 99 03

Index

160